안전한 수명 연장의 법칙 비만 대사증후군 치료

발 행 | 2024년 02월 16일

저 자 | 윤경준

서울대학교/ 성균관대학교 의학 졸업

강북 삼성의료원 인턴 수료

고려대학교 의료원 전공의 수료

고려대학교 의료원 책임지도전문의

전 고려대학교 의료원 비만 대사증후군 클리닉 교수

펴낸이 | 한건희

펴낸곳 | 주식회사 부크크

출판사등록 | 2014.07.15(제2014-16호)

주 소 | 서울특별시 금천구 가산디지털1로 119 SK트윈타워 A동 305호

전 화 | 1670-8316

이메일 | info@bookk.co.kr

ISBN | 979-11-410-7239-1

www.bookk.co.kr

ⓒ 윤경준 2024

안전한 수명 연장의 법칙
비만 대사증후군 치료

윤경준 지음

CONTENT

머리말

이 책을 펼치는 여러분을 진심으로 환영합니다. 이 책은 비만인들 중 당뇨 및 당뇨 전단계 그리고 고혈압, 고지혈증등의 만성질환, 그리고 이러한 소견들이 동시 다발적으로 일어나는 대사증후군등 여러 질환을 극복하기 위해 노력중인 젊은 비만환자분들을 중심으로 해당질환들의 가장 우선적인 과제인 비만치료에 도움을 주고자 만들어졌습니다.

위 언급한 질환들의 가장 깊은 연관을 지닌 비만의 문제에 대한 적극적인 치료를 통한 해당 질환들의 개선이 강조되고 있습니다. 또한 당뇨의 경우 최근 다수의 학회와 연구들에서 유일한 당뇨의 관해의 법칙으로 젊은 비만형 2형 당뇨인들의 체중감량을 적극적인 해결책으로 제시하고 있습니다.

해당 저서는 이러한 비만인 중 당뇨 또는 대사증후군, 여러 만성질환자분들의 적극적인 치료에 도움이 되고자 작성이 되었습니다. 치료를 새롭게 담당하는 의료진들에게도 도움이 되었으면 하며, 무엇보다 환자분들이 실제 전문의료진에게 치료 받을 때 조금더 본인의 치료과정에 대한 이해를 돕기 위해 기본적으로 만들어졌으며, 해당 환자분들의 기본적인 생활치료에 또한 도움이 되고자 합니다.

실제 2022년 당뇨병 팩트 시트에 의하면 국내 당뇨 전단계 유병률은 특히 젊은 층인 30대부터 50대까지 증가했다가 60대 이후 감소했습니다. 젊은 30대의 당뇨병 전단계 인구는 208만명으로 당뇨 전단계의 상당부분을 차지했습니다. 수년내로 당뇨에 진입할수 있는 젊은 당뇨 전단계 환자들이 많아진 것입니다.

대사증후군은 복부비만과 고혈압, 고혈당, 지질이상 같은 위험 인자들을 복합적으로 지니고 있는 상태를 말하며, 복부비만, 고중성지방혈증, 낮은 고밀도(HDL) 콜레스테롤, 높은 혈압, 혈당 장애의 다섯 가지 위험 요인 중 3개 이상에 해당하는 경우 진단됩니다. 이러한 대사증후군 경우 또한 국내의 최근 12년간 대사증후군 유병률은 2007년 21.6%에서 2018년 22.9%로 젊은 군을 포함하여 전체적으로 증가세가 나타났습니다. 대사증후군 위험인자에서도 가장 중요하다고 평가되는 복부비만 유병률 또한 함께 실제 최근 12년간 함께 증가했습니다.

이러한 최근의 복부비만의 유병율은 2007년 25.9%→2018년 26.5%로 늘었고, 2016년은 28.5%로 분석 기간 중 가장 최고점에 도달한 것으로 알려져 있으며, 이는 위 언급한 해당 질환들의 증가와 밀접한 관련성을 염두할수 있습니다.

대사증후군과 당뇨 모두 교정이 늦어질시에 차후에 합병증과 관련하여 해당 환자들은 특히 심혈관계 질환 및 뇌혈관계 질환의 발생위험도가 3배 정도 높은 것으로 연구상 알려져 있으며, 이로 인한 사망률도 약 2배 높다고 알려져 있기에 반드시 관리를 해야 하는 질환입니다.

어떻게 이러한 여러 만성질환들을 한번에 관리하는 것이 가장 최선일까요. 앞서 강조하였던 바와 동일한 의미로 최근 유럽 심장학회 (ESC)의 경우 본인의 기본 체중을 기준으로 5% 이상의 체중 감소를 통해 당뇨 전단계 뿐 아니라 실제 제2형 당뇨병을 가진 과체중 및 비만 성인의 혈당 조절, 심혈관 문제와 직접적으로 연관되며, 대사증후군에 속하는 높은 이상지질의 수치와 높은 혈압을 함께 개선 시킬수 있다고 설명하고 있습니다. 즉 체중감량은 비만과 당뇨전단계 그리고 대사증후군등에 해당하는 환자들을 대상으로 하는 치료의 기본적인 첫번째 목표로 삼을수 있습니다.

책에 담긴 내용은 이러한 해당 환자들의 기본적인 비만의 치료를 이해하고, 실제 본인이 개인적으로 행할수 있는 생활속 교정에 대한 교육에 대해 상세히 서술을 하였습니다. 무엇보다 금번 책을 통하여 국내인들이 다양하게 적용해볼 수 있는 식단과 기본 생활 과정에서 시행할수 있는 단순하고 시행하기 어렵지 않은 운동의 과정을 포함하여 개인이 스스로를 관리할수 있게 정보를 제공하고자 합니다. 또한 전문적인 체중감량의 약제치료 및 결과들까지 함께 담아 이를 통해 전문의료진에게 치료를 시작하는 개인이 본인의 전체적인 치료의 과정에 대해 깊이있게 잘 이해하여, 의료진

6

과 함께 같은 길을 가면서 안전한 결과를 만들어내는데에 도움을 주고자 합니다.

누구나 젊은 나이에 처음 고혈압, 중성지방등이 높은 이상지질혈증, 당뇨전단계 또는 대사증후군을 진단받게 되면 많이 당황할 수 있습니다. 본인이 젊으면서 비만에 해당하는 경우 이를 해결하기 위해 적극적인 비만치료를 진행하는 것은 실제 본인의 건강 수명의 연장과 밀접하게 관련이 있기에 적극적으로 시도해야 합니다.

해당 질환들이 실제 혈관성 질환들과 이어져 수명에 영향을 주기 때문에 지금이라도 빠른 치료의 결심을 하였다면 이는 본인의 수명 연장을 위해 이는 매우 올바른 선택이 될 수 있습니다. 치료과정에 임하는 모든 분들이 매일 도전과 맞서 싸우는 고된 과정임을 충분히 이해하며, 그러한 노력에 동반자로 함께하고자 합니다.

건강한 삶을 위한 길에 한 걸음 더 나아가는데 도움이 되고자 하며 매 페이지마다 여러분의 힘든 길을 함께하는 동료로 든든하게 있겠습니다. 건강과 행복으로 가득한 여정을 시작해보시기를 바라며 이를 함께 기원합니다.

늘 저에게 따듯한 말과 응원을 담아 말해주시는 사랑하는 어머니 오화진, 아버지 윤현주, 동생 미나에게 고마운 마음을 함께 담습니다. 해당 책에 또 조언을 주신 분들과 아끼는 친구와 지인, 소중한 분들에게도 늘 감사하다는 말을 또한 적어봅니다.

해당 책은 일반인 분들에게 최대한 편하게 읽히도록 작성되었습니다. 작은 도움이 되길 바라며 독자분들께도 감사드립니다.

고려대의료원 비만 대사증후군클리닉 윤경준

제 1장

비만, 대사증후군
극복의 1순위 목표
: 체중감량

1장　비만, 대사증후군 극복의 1순위 목표

：체중감량

최근 국내 당뇨, 당뇨전단계 및 대사증후군 젊은 환자의 증가가 뚜렷합니다. 국내 당뇨병학회 보고에 의하면 2018년 13.8%, 2020년에는 16.7%로 국내 당뇨병 환자의 증가율이 굉장히 가파른 상태입니다. 또한 2022 년 당뇨병 팩트 시트에 의하면 당화혈색소 5.7~6.4%인 당뇨병 전단계 인구는 1497만명에 달해 심각성을 더하고 있습니다. 당뇨병 전단계 유병률은 특히 젊은 층인 30대부터 50대까지 증가했다가 60대 이후 감소했다. 젊은 30대의 당뇨병 전단계 인구는 208만명으로 상당부분을 차지했습니다.

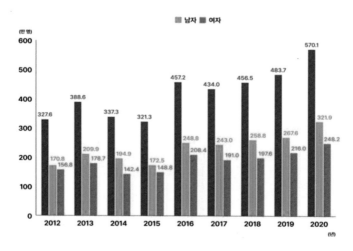

[대한 당뇨병학회, 당뇨병 팩트 시트 2022 : 최근 9년간 당뇨병 유병률 추이]

대사증후군 또한 국내의 최근 12년간 유병률에서 2007년 21.6%에서 2018년 22.9%로 증가세를 보였습니다. 특히 남성은 모든 연령대에서 대사증후군 유병률이 증가했고 30대와 40대에서 두드러졌습니다. 상세히 보게되면 30대는 2007년 19%→2018년 24.7%, 40대는 25.2%→36.9%로 늘었습니다. 대사증후군은 복부비만과 고혈압, 고혈당, 지질 이상 같은 위험 인자를 복합적으로 지니고 있는 상태를 말한다. 복부비만, 고중성지방혈증, 낮은 고밀도(HDL) 콜레스테롤, 높은 혈압, 혈당 장애의 다섯 가지 위험 요인 중 3개 이상에 해당하는 경우 진단되게 됩니다.

대사증후군 진단 기준	항목	진단 기준
	복부비만	허리둘레 남자 90cm · 여자 80cm 이상
	높은 혈압	130/85mmHg 이상 또는 약 복용
	혈당장애	공복 혈당 100mg/dl 이상 또는 약 복용
	HDL-콜레스테롤 혈중 농도 낮음	남자 40mg/dl , 여자 50mg/dl 이하 또는 약 복용
	혈중 중성지방 높음	150mg/dl 이상 또는 약 복용

※5개 항목 중 3개 이상 해당시

이러한 당뇨와 대사증후군에 해당하는 고혈압, 이상지질혈증의 소견들은 모두 심혈관 질환, 뇌혈관 질환등의 합병증과 깊은 관련을 보일수 있기 때문에 특히 30대, 40대 젊은 환자의 증가는 많은 문제들을 일으킬수 있습니다. 젊을 때 발생하는 당뇨전단계나 고혈압, 이상지혈증을 포함하는 대사증후군이 발생하게 되면 보통 이후의 유병기간이 길어짐으로 해서 발생하는 합병증 등으로 사회구성원들의 건강에 많은 악영향을 끼치게 됩니다. 특히 당뇨의 경우만 하더라도 대표적인 합병증으로는 관상동맥 질환, 뇌졸중, 뇌경색 등 치명적인 혈관 질환들이 있고 이들이 관리가 되지 않을시 환자가 부담해야하는 위험 또한 커지게 됩니다.

젊은 대사증후군 환자와 당뇨 및 당뇨 전단계등 해당 만성질환들의 증가에 어떻게 기본적으로 대처해야할까요?

해당 환자군 중 특히 40세 미만의 젊고 체질량지수가 25를 초과하는 젊은 비만환자들의 경우 비만도를 적극적으로 관리할시에 당뇨전단계 및 대사증후군에서 충분히 벗어날수도 있고, 장기적으로 관련 합병증의 발생을 줄일 수 있기에 환자 개인은 큰 도움을 받을수 있습니다.

특히 당뇨전단계의 경우 그대로 지낼시엔 실제 수치가 악화될 가능성이 높고, 5년 후 상당수에서 당뇨 진단 및 당뇨의 합병증에 이어질수 있기에 관리가 꼭 필요한 집단입니다. 젊은 비만인이면서 당뇨전단계, 대사증후군인 분들은 해당 치료에 있어서 비만의 적극적인 치료를 통해 해당 진행을 늦추고, 정상으로 복귀시키거나 예방까지 시도할수 있습니다.

실제 최근 연구들을 통해 국내인을 포함한 비만에 해당하는 아시아인의 경우 실제 10kg 정도의 체중 감량을 하게 되면 당뇨병의 관해를 70~80% 정도까지 유도할 수 있다고 알려져 있습니다. 또한 제 진료실에서 젊은 비만환자들의 경우 당뇨 전단계에서 적극적인 비만치료 및 감량으로 당뇨 전단계의 수치에서 당뇨로 들어서지 않고 정상으로 관해시킨 경우가 많았습니다.

대사증후군 위험인자에서도 또한 가장 중요하다고 평가되는 복부비만 유병률은 실제 최근 12년간 증가했습니다. 이는 2007년 25.9%→2018년 26.5%로 늘었으며, 2016년은 28.5%로 최근의 분석 기간 중 가장 최고점에 도달한 것으로 알려져 있습니다. 이러한 가파른 동시적인 증가는 해당 복부비만과 만성질환들의 관련성을 함께 보여줍니다.

실제 증가하는 복부비만과 연관된 대사증후군은 심사평가원의 자료에 따르면 매년 400만 명 이상의 환자가 대사증후군으로 진료를 받았고, 진료비도 7000억원 이상으로 나타날 정도로 비용이 많이 발생하는 기록 또한 함께 확인되며 그 증가된 규모를 보여주고 있습니다.

이러한 증가하는 만성질환들의 해결을 위해 의료진들이 가장 우선적으로 선택할수 있는 가장 강조할수 있는 첫번째 목표는 비만

치료를 통한 체중감량이 됩니다. 의료진은 환자에게 기본적으로 현재 체중에서 7~10%를 6개월-1년에 걸쳐 감량하는 것을 이상적인 목표로 제시를 하게 됩니다.

비만도의 교정을 통해서 대사증후군, 당뇨등 해당 만성질환들의 큰 위험인자를 치료해낼수 있다면, 합병증인 심혈관 질환, 뇌혈관 질환들의 발생 위험도 또한 함께 낮출수 있기에 많은 이득이 있고 그러한 면에서 실제 개인의 건강수명을 연장시킬수 있습니다.

또한 최근 유럽 심장학회 (ESC)는 본인의 기본 체중을 기준으로 5% 이상의 체중 감소를 통해 당뇨전단계 뿐 아니라 실제 제2형 당뇨병을 가진 과체중 및 비만 성인의 혈당 조절, 심혈관 문제와 직접적으로 연관되며 대사증후군의 기준으로도 쓰이는 지질의 수치 및 높은 혈압을 개선 시킬수 있으며, 이는 생활개선을 통한 비만치료 및 해당 치료의 과정에서 쓰이는 비만 치료제를 통해 큰 도움을 받을수 있다고 함께 설명하고 있습니다.

해당 개선을 통해 위험도를 낮추게 된다면 당뇨병이 있는사람이 없는 사람에 비해 가지게 되는 심혈관계 질환 발생 위험 남자 2~3배, 여자 3~5배, 그리고 대사증후군 환자들의 경우도 심혈관계 질환 및 뇌혈관계 질환의 발생위험도가 정상인의 3배 정도 높아지는 위험도를 줄일수 있게 되고 개인의 건강수명이 연장될수 있습니다.

제 2장

치료전 비만에
대한 기본 평가

2 장 치료전 비만에 대한 기본 평가

(1)비만의 정의와 측정에 대하여

환자분들의 경우 본인이 비만이지만 해당하는지 조차 몰랐던 분들도 많습니다. 이는 비만의 정의에 대해 모르거나 측정을 하는 방법에 대해 모르는 경우가 많기 때문입니다. 그러한 분들에게 우선은 비만에 대한 정의를 포함하는 기본적인 사항에 대한 이해를 위한 안내를 우선적으로 드립니다.

비만은 우선 건강을 해칠 정도로 체지방이 과도하게 축적된 상태를 나타내며, 이로 인해 당뇨병, 고혈압, 이상지혈증, 관상동맥병, 뇌졸중, 골관절염, 요통, 수면무호흡 등과 같은 동반 질환의 위험이 증가합니다. 이에 따라 비만에 대한 평가는 해당 질환들을 해결하기 이전에 앞서서 정확히 이뤄져야 하고 환자 본인도 본인이 비만에 해당하는지, 해당하면 어느정도인지는 명확히 알아야 합니다. 이는 목표설정에도 꼭 필요한 정보입니다.

체지방의 경우 각각 인체에 꼭 필요한 요소도 있으며 미치는 영향은 다양하고 다르지만, 비만으로 인한 합병증은 주로 체지방의 과다 축적으로 인해 발생합니다. 그러나 대규모 역학 연구에서 직접적인 체지방량을 측정하는 것은 어려워서, 임상에서는 일반적으로 사용되는 체지방량을 기반을 하는 비만의 진단기준은 아직 명확하게 확립되지 않은 실정입니다.

체지방률에 대한 미국 내분비학회의 기준은 남성에서 25%, 여성에서 35% 이상을 비만으로 간주하고 있습니다. 그리고 또한 비만은 체지방이 증가한 상태이므로 직접적인 체지방 측정이 필요한 것은 맞습니다. 그러나 이를 정확히 측정하기 위해서는 전문 장비가 필요하며 장비를 이용한 체지방 측정 방법 중 비교적 정확한 컴퓨터 단층촬영등은 대학병원 규모의 의료원에서 주로 사용이 됩니다. 이외 초음파등을 통해 최근 외부의원들에서 비만의 두께를 파악하는 등의 장비측정 또한 진행되고 있습니다. 클리닉들에선 우선적으로 보통은 체질량지수나 허리둘레를 측정하여 비만을 평가하게 됩니다.

대부분 알고 있는 체질량지수(Body mass index, BMI)는 체중(kg)을 신장(m)의 제곱으로 나눈 값으로, 가장 널리 알려진 비만 평가 방법 중 하나이고, 측정 방법은 발뒤꿈치를 붙이고 발을 60도 간격으로 벌린 상태에서 신체의 후면을 벽에 붙이고, 숨을 깊이 들이쉬면서 신장을 측정하게 됩니다. 그러한 결과로 얻게 되는 진단 기준으로는 세계보건기구(World Health Organization, WHO)에서는 BMI 30 kg/m^2 이상을 비만, BMI 25 kg/m^2 이상을 과체중으로 정의하고 있습니다.

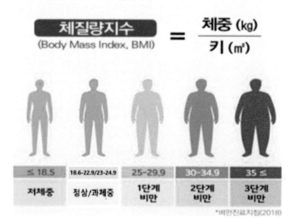

위 표를 통해 본인이 어느정도의 비만에 속하는지 확인하는 것은 중요합니다. 이는 단순히 5를 기준으로 나눴다기보다 해당 1,2,3

단계의 비만도를 분리한게 아니라 실제 단계가 올라갈수록 실제 고혈압, 당뇨, 이상지질혈증등의 유병율 자체가 변화하게 됩니다. 즉 높은 단계의 비만에 속한다면 개인의 건강수명 연장을 위해서도 이를 반드시 치료받고 해결하는 것이 좋습니다.

한국인을 포함하는 아시아인의 경우 BMI 25 kg/m² 이하에서도 비만에 따른 동반 질환 위험이 높아지기 때문에, 25 kg/m² 이상으로 정의하고 있다는 것이 중요합니다. 단, 체질량지수라는 수치의 단점은 해당 수치가 근육량과 지방량에 대한 고려 없이 체중과 신장의 비율만을 고려하는 간접적인 방법이라는데 있습니다. 즉 근육량이 많은 환자의 경우 비만으로 과대평가될 수 있다는 것이 충분히 이해가 갈것이고 오히려 마른 형태의 근감소증이 있는 환자의 경우 저체중으로 과소평가될 수 있는 것 입니다. 즉 개개인에 대한 적용에서는 결과를 해석할 때 주의가 필요합니다.

그래서 단순하게 체질량지수 뿐 아니라 도움이 더 되는 것은 바로 허리둘레의 측정이 됩니다. 보통의 경우 한국인에서 복부 비만의 진단 기준은 대한비만학회의 기준에 따라 허리둘레가 남자는 90cm, 여자는 85cm 이상으로 정의되어 있습니다. 측정하는 방식은 환자의 양발을 25~30cm 정도 벌리게 하고 숨을 편안하게 내쉰 상태에서 측정이 되며 이를 통해 내장 지방까지도 예민하게 반영하면서도 간편하게 측정할 수 있는 이득이 있습니다. 다만 측정자간이나 측정자내의 오차가 크기 때문에 재현성이 낮다는 단점과 함께 복부의 피하지방이 과도하게 축적될수록 내장 지방과의 관련성이 떨어질 수 있다는 단점이 있습니다.

이외에도 앞에서 말했듯 컴퓨터단층촬영(CT)의 경우 대학병원급 내에서 쉽게 이뤄질수 있습니다. 요추 4~5번(배꼽 부위)에서 촬영을 시행해서 이를 통해 CT 결과물을 소프트웨어를 활용하여 촬영 단면의 전체 지방 면적, 내장 지방(visceral fat) 면적, 그리고 피하지방(subcutaneous fat) 면적을 측정하는 원리를 기반으로 하게 되어 측정하게 됩니다. 다만 이또한 명확한 기준이 아직 확립되어 있지 않으나 일반적으로 내장 지방 면적이 100 cm² 이상이거나 내장 지방 면적 대비 피하지방 면적의 비율이 0.4 이상인 경우를 내장 지방 비만으로 진단하는 경향이 있다고 보면 됩니다. 그렇다고 이 방식이 완벽한 것은 아니며, 단일 단면에서 복부 지방의 면적만을 측정하는 방법이기 때문에 전체 내장 지방의 양을 측정하지 않는다는 점이 생길수 있습니다.

(2)비만환자의 동반질환

최근 대사증후군 및 각종 질환의 가장 공통되는 근본 원인이 되는 것으로 여겨지는 비만은 단순히 칼로리의 과도한 섭취로 일어나지 않는 경우도 있습니다. 여러 기존 질환때문일수도 있습니다.

이러한 점에 대해 의료진의 명확한 판단을 위해서 환자는 의료진에게 본인이 가지고 있는 문제점에 대해 자연스럽고 솔직하게 대답에 임해야 하고 추가적인 검사들 또한 다양하게 필요할수 있습니다. 이후 해당 결과를 통해 환자가 가진 비만과 관련된 기저질환, 여러 약제등 여러 가능성을 의료진이 함께 고려하게 됩니다.

이러한 여러 다양한 비만을 일으킬수 있는 기저 질환에 대한 평가는 진료의 가장 초기에 접근해야 합니다. 환자는 첫 상담부터 매 방문마다 의사에게 지속적인 평가가 필요하고, 이를 통해 비만 치료의 목표, 약제 선택, 치료 전략에 해당 내용이 꼭 활용이 될 수 있어야 합니다.

또한 의료진은 환자의 비만이 시작된 시기를 포함하여 성별, 인종, 나이, 임신 여부, 사춘기 및 폐경 등 생애 주기별 특성에 대한 기본적인 정보를 제공받고 이에 맞춘 섬세한 치료전략을 세우는 것이 중요합니다.

이외에도 환자는 의사에게 다양한 것을 공유해줘야하며, 환자의 개인의 생활사, 현재 동반 질환 및 복용 약물, 과거 병력, 정신건강 평가, 사회경제적 환경, 가족력, 그리고 기타 요소들인 장호르몬, 장내 미생물, 환경호르몬, 체내외 독소 등을 환자는 의사에게 제공하게 되고 의사는 이를 기저질환력과 함께 종합적으로 평가합니다.

이를 통해 해당 비만의 현 주소가 기저질환으로 인한 문제인지 생활사에 다양한 원인에 의함인지 기본적으로 의료진은 파악을 해보게 됩니다. 이러한 종합적인 접근 방법을 하게 되면 의사는 조금더 명확하게 개인의 상황에 맞춘 전략을 수립해 줄수 있고 필요한 치료 및 지원을 제공할 수 있습니다. 명확한 치료를 받기 위해서는 환자도 무작정인 비만만을 타겟으로 하는 치료가 아니라 이러한 전체적인 초기진료가 진행되는 클리닉을 선택하는게 맞습니다.

또한 환자 개인은 뒤에 나오는 해당 표를 통해 무엇을 공유해야 할지, 본인이 평소 지니고 있는 기존의 병이나 약제가 실제 비만과 연관이 될지등을 확인해보고, 기본적으로 비만치료의 준비를 해두세요. 이러한 정보의 준비는 앞으로의 비만치료에 있어서 의료진과 전체적인 치료계획을 세우는데에 많은 도움이 됩니다.

분류	조건/증상
유전 및 선천성 장애	
1. Monogenic Obesity	1.1 Leptin and Leptin Receptor Deficiency (ob, db)
	1.2 Proopiomelanocortin (POMC) Deficiency
	1.3 Melanocortin 4 Receptor (MC4R) Deficiency
	1.4 Prohormone Convertase Deficiency
	1.5 BDNF and TrkB Insufficiency
	1.6 SIM 1 Insufficiency
2. Syndromic Obesity	2.1 프라더-윌리 증후군(Prader-Willi Syndrome)
	2.2 로렌스-문-비에들 증후군(Laurence-Moon-Biedl)
	2.3 알스트롬 증후군(Ahlstrom Syndrome)
	2.4 코헨 증후군(Cohen Syndrome)
	2.5 카펜터 증후군(Carpenter Syndrome)

약물	
3. 항정신병제	3.1 Thioridazine, Olanzapine, Clozapine, ...
3. 항우울제	3.2 Amitriptyline, Nortriptyline, Imipramine, ...
3. 항전간제	3.3 Valproate, Carbamazepine, Gabapentin, ...
3. 당뇨병 치료제	3.4 Insulin, Sulfonylurea, Glinide, Thiazolidinedione
3. 세로토닌 길항제	3.5 Pizotifen
3. 항히스타민제	3.6 Cyproheptadine
3. 베타차단제	3.7 Propranolol
3. 알파차단제	3.8 Terazosin
3. 스테로이드 제제	3.9 경구피임제(progestin), 당질 코르티코이드 제제

[비만과 관련된 질환과 약제]

신경 및 내분비계 질환	
4. 시상하부성 비만	4.1 외상, 종양, 감염성 질환, 수술, 뇌압 상승
4. 갑상샘저하증(Hypothyroidism)	
4. 쿠싱증후군(Cushing Syndrome)	
4. 인슐린	4.2 Insulinoma
4. 다낭난소증후군(Polycystic Ovary Syndrome)	
4. 생식샘저하증(Hypogonadism)	
4. 성인 성장호르몬 결핍증(Growth Hormone Deficiency)	
4. 거짓부갑상샘저하증 (Pseudohypoparathyroidism)	
정신 질환	
5. 폭식장애(Binge-eating Disorder)	
5. 계절정동장애(Seasonal Affective Disorder)	

[비만과 관련된 질환과 약제]

항목	
직업 및 근무(활동) 형태	사무직, 활동직 등
근무(활동) 시간	Full-time, Part-time, Night time 등
기호식품	술, 담배, 커피 등
식사 습관	식사 횟수, 시간, 장소 등
다이어트 과거력	시도 횟수, 시기, 감량 여부, 요요 현상 여부 등
체중 변화 기록	증가 속도, 시기, 변동 정도 평가
수면력	수면 시간/질, 규칙적/불규칙적 여부
동반 질환 및 복용 약물 평가	고혈압, 당뇨병, 내분비질환이나 빈혈 등
운동	횟수, 종류, 강도
운동 시 동반증상 평가	호흡곤란, 두근거림 등
월경력	규칙적/불규칙적, 주기, 생리양, 생리통 여부 등

신체검사	키, 몸무게, 허리둘레
Vital Sign	혈압, 맥박, 체온
피부 상태	색깔, 선조(striae) 등
기타 측정 및 검사	Hip/thigh circumference, 체성분검사, 피부주름 측정 등
Laboratory Test 공통	CBC with platelet, Urinalysis with micro, General blood chemistry (FBS, BUN/Cr, AST/ALT/rGTP, ALP, ESR/hsCRP, CPK/LDH, Uric acid), HbA1c
Electrolyte	Na/K/Cl, Ca/P, ionized Calcium
Hormonal Study	Thyroid function test

[환자, 의사가 비만 치료전 꼭 공유해야 할 자료들]

(3) 환자의 섭취약제와의 관계

의사와 환자가 서로 공유해야 할 자료에는 특히 약제도 있습니다. 이는 실제 복용하는 약제가 비만을 만드는 경우도 있기 때문입니다.

예를들어 항정신병제인 Quetiapine, Clozapine, Olanzapine, Haloperidol 과 같은 약물들이 실제 높은 체중 증가 위험을 가지고 있습니다. 반면에 Risperidone은 중등도의 위험을 나타냅니다.

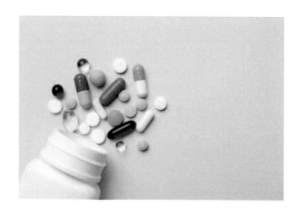

기분안정제 부분에서는 Lithium, Valproic acid와 같은 약물들이 높은 체중 증가 위험을 나타냅니다. 잘 알려진 Topiramate 약제의 경우는 이와 반대로 체중 감소와 관련이 있습니다.

당뇨병약에서도 체중증가는 벌어집니다. 기본적으로 2형 당뇨환자에서 많이 사용하는 Insulin, Sulfonylurea (gliclazide, glipizide, glimepiride, glibenclamide), Meglitinide (repaglinide, nateglinide, mitiglinide), Thiazolidinedione (pioglitazone, lobeglitazone)와 같은 약물들이 체중 증가를 유발할 수 있습니다.

감정이 많이 쳐지는 현대인들이 복용하는 항우울제 부분에서는 Amitriptyline, Nortriptyline과 같은 Tricyclic anti-depressants가 높은 체중 증가 위험을 가지고 있습니다. 또한 다수가 복용하는 Paroxetine, Sertraline, Fluoxetine, Fluvoxamine과 같은 우울증 제재인 SSRIs는 중립적이거나 장기간 사용 시 체중 증가 위험을 안고 있습니다. Duloxetine, Venlafaxine와 같은 SNRIs는 중립적이나, Mirtazapine의 경우도 식욕을 올리면서 체중 증가를 유발하게 됩니다.

고혈압약제에서도 맥박수를 줄여주는 Beta blockers 제재에서 Atenolol, Propranolol, Metoprolol 은 6개월 이상 복용 시 1.2 kg 에서 3.5 kg 정도의 체중 증가를 보일 수 있습니다.

최근 연예인들 사이에서도 유명해졌던 스테로이드 약제의 복용은 체중증가를 유발하는 부작용이 있을수 있습니다. Corticosteroids

인 Prednisone, Prednisolone 과 같은 약물들이 3개월 이상 사용 시 체중 증가의 위험을 환자에게 가져다줄 수 있습니다.

심지어 알러지 약제로 쓰이는 항히스타민제의 복용에서도 복용이 장기화되면 Cyproheptadine과 같은 약제는 1주일에 1.2 kg, 2주에 2.2 kg, 4주에 2.4 kg 정도의 체중 증가를 유발할 수 있습니다.

환자는 의사에게, 그리고 본인 스스로도 본인이 섭취하는 약이 이에 본인의 비만도와 관계가 있는지 꼭 미리 함께 파악해야 합니다.

제 3장

비만 치료의
목표 설정

3장 비만 치료의 목표 설정

이는 가장 기본적이면서 중요한 부분입니다. 치료의 시작전에 환자와 의사 간의 대화와 진료를 통해 비만 치료에 앞서서 여러 고려 사항을 거쳐 함께 목표를 결정해야 합니다.

우선은 환자의 기대와 현실적인 목표를 협상하는 것이 중요합니다. 여기서 주의할 점은 환자의 감량 목표가 종종 비현실적일 수 있습니다. 특히 미용을 중시하는 경우에는 기대 감량 목표가 높을 수 있습니다. 이럴때 의사는 환자의 건강상태와 목표하는 점을 함께 고려하되 기본적으로는 비만인들이 지니고 있는 만성질환인 당뇨전단계, 고혈압, 대사증후군, 중성지방이 상승된 이상지질소견들을 건강하게 해결하기 위해 실제적인 비만 치료의 목표로 6개월 이내에 현재 체중의 5~10% 감량을 고려하는 것이 좋습니다. 단, 식사에 대한 교정 치료시엔 식사 행태 파악이후 신경성 식욕부진에 해당하는 경우 체중 감량 금기증에 해당되므로 이는 주의가 필요합니다.

의사는 환자에게 치료의 과정속에서 치료의 지속성을 강조하는 것이 중요하고 환자 또한 이를 잘 이해하고 따라오는 것이 중요합니다. 기본적으로 최초 6개월 동안 목표 체중 감량을 달성한 뒤에도 최소 2년 이상은 감량 체중을 유지하는 전략을 함께 제시해야 합니다. 이를 통해 전반적인 건강개선을 통해 수명연장의 목표에 가까워질수 있습니다.

치료의 목표 설정에 있어서 환자의 과거 체중 감량 시도했던 횟수와 경험, 동기를 파악하는 것 또한 중요합니다. 체중 감량은 식사와 활동량의 지속적인 관리가 필요하며, 환자가 어떤 동기로 체중을 감량하고자 하는지를 함께 파악하여 목표 설정에 활용해야 합니다. 과거에 시도한 체중 감량의 성공/실패 원인을 분석하고, 성공적인 요인을 강화하며 장애 요인을 극복할 수 있도록 지원해야 합니다.

치료가 목표로 진행되는 과정 속에서 비만 치료에 대한 인식을 계속적으로 환자와 의사간 서로 파악을 하는 것도 중요합니다. 비만 치료는 일시적인 것이 아니라 평생 지속되어야 함을 또한 환자에게 잘 이해시켜줘야 합니다.

치료의 초반의 기본적인 목표로는 6개월 동안 체중의 5-10%를 감량하는 것이 현실적으로 잘 세웠다면, 그렇다면 속도의 조절은 어떻게 하는 것이 좋을까요?

진행되는 속도의 경우 특히 고도 비만의 경우, 23개월 동안 초저

열량식에서 저열량식으로 이행하여 초기에 빠르게 체중을 감량하는 것도 고려될 수 있습니다.

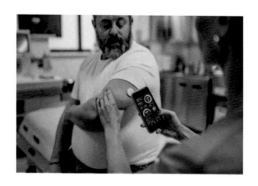

보통 초저열량식을 진행하면 초기 6개월 내에 10~15% 정도의 체중 감량이 가능합니다. 하지만 빠른 변화의 속도에 있어서 잦은 외래를 통해 환자의 건강상태가 의료진에게 꼭 같이 확인하어야 합니다. 식단의 경우는 환자의 선호도를 고려하여 뒤에 소개되는 다양한 식단을 확인하여, 해당 식단안에서 환자에게 가장 알맞고 장기간 유지가 가능한 계획을 세워주는 것이 좋습니다.

이러한 과정에서 체중 감량을 통해 몸의 구성 요소가 어떻게 변하는지 주기적으로 꼭 body composition 모니터링이 필요합니다.

무엇보다 신경써야 할 점은 근육량의 감소가 체지방의 감소보다 적도록 설정하는 것입니다. 환자의 실제적인 전체 중량의 감소가 근육량의 감소는 아닌지 파악을 미리하고 감소를 예방하기 위해 운동 처방과 식단에 있어서 충분한 단백질 섭취를 같이 권장해야 합니다. 근육량이 과하게 감소하면 감소된 체중을 유지하는 것이 어렵기 때문입니다. 결과적으로 장기간의 유지가 목표임을 다시금 기억해두세요.

가장 중요한 것은 비만 치료의 궁극적 목표가 보통의 비만인들이 지니는 대사증후군에 포함되는 소견들과 실제 당뇨, 고혈압, 고지혈증등의 동반 질환 및 뇌혈관, 심혈관 질환의 합병증을 예방하거나 개선하여 환자의 삶의 질을 향상시키는데 있다는 것입니다. 이를 통해 비만과 관련된 다양한 문제들을 예방하고 개선할 수 있습니다. 또한 의료진은 환자를 위해 체중 감량에 한번 성공적으로 안착하게 되면 앞으로의 유지기간이 실제 건강수명의 연장에 더욱 중요함을 각인시켜주고, 환자는 이를 유념하면서 동기를 지속 기억하고, 유지기간을 강화해 나가야 합니다.

의사는 환자가 비만과 관련된 동반 질환이 있을 경우 이러한 문제에 대한 해당 치료시 건강수명의 개선 가능성을 늘 인식시켜줘야 하고, 환자 스스로도 이를 반복 기억하는 것은 체중 감량에 대한 동기를 강화하기에 상호 긍정적인 면이 많습니다.

다만 지속적으로 동기를 강화해도 목표가 너무 높다고 여기게 되면 환자는 어느순간 치료 목표로 가는 것을 거부하고, 치료과정에서 지치고 부담 또한 느낄수도 있습니다. 그럴시 의료진은 목표의 범위를 넓혀주면서 자연스럽게 환자가 변화를 겪는 힘든 시점을 지나 도달가능한 목표가 있음을 인식시켜주면서 가야합니다. 짧은 여러 개의 목표지점을 잡아주는 것도 좋습니다. 중요한 것은 환자가 높은 한 지점이라는 목표 한 곳에만 억눌리지 않고, 치료 기간의 다양한 목표 제시를 통해서 환자의 자연스럽게 적극적인 자세가 만들어질수 있도록 여유를 줘야하는 점이 중요합니다.

이러한 과정이 자연스럽게 이어지면 의료진과 환자는 서로간의 교류 속에서 지치지 않는 목표의 달성을 통해서 더 깊게 신뢰를 하게 되고, 어느새 환자 본인 또한 가장 원하던 지점까지 다가갈 수 있게 됩니다.

제 4장

비만의 치료과정에
대한 마음자세

4장 비만의 치료과정에 대한 마음자세

비만 치료의 과정이 고될수 있기 때문에 이는 환자에게 정말 중요한 부분입니다.

(1)의지다지기

비만인 중 당뇨 또는 대사증후군, 여러 만성질환자을 대상으로 하는 그들의 체중감량의 개선은 사실 개개인에게는 고달픈 도전의 여정입니다. 그러하기에 대다수는 문제가 있더라도 관심이 없는 듯 외면을 하는 경우도 많습니다.

하지만 본인이 해당 치료를 시작하게된 명확한 이유를 다시금 늘 기억해야 하고 의료진은 진료때마다 이를 상기시켜줘야 합니다. 그래야 현재의 편안한 상태에서 환자는 목표를 향해 지속적으로 벗어나는 노력을 시작할수 있습니다.

체중 감량이 단순한 미적인 문제가 아닌 비만인 중 당뇨 또는 대사증후군, 여러 만성질환자의 생명연장을 추구할수 있다면 그것은 이전과는 그들에게 분명히 다른 이야기가 됩니다. 환자는 해당 치료의 선택과 이를 통한 변화가 때론 힘들고 희생이 따르겠지만,

비만이 원인이 되어 일으키는 각종 당뇨, 고혈압, 고지혈증을 포함하는 대사증후군의 장기간 유병후 실제 합병증 발생으로 인한 사망률 증가는 개인의 건강수명을 크게 낮추게 된다는 것을 늘 기억해야 합니다.

삶에서 늘 선택지가 눈앞에 있고 무엇이든 선택해도 되지라는 안락한 자세를 가지고 있는 비만인도 많습니다. 어떠한 것을 선택하기 이전에 현재의 편안한 상태를 지속적으로 즐기면서 일상을 즐길 수 있지만, 결국 비만도가 지속되면 관련된 대사증후군등을 포함한 여러 질환들의 유병기간이 길어진다면 어떻게 될까요?

미래의 소중한 시간들이 차감될수 있음을 기억한다면 예전의 모습에서 서서히 올바른 쪽으로 바뀌어가려는 본인의 선택과 행동을 지속적으로 유지할수 있을 것입니다. 현명한 선택으로 비만도의 저하를 위해 치료를 하게 된다면 처음의 여정은 가파른 오르막길이겠지만, 그 노력과 인내가 결코 헛되지 않을 것입니다. 비만인이 행복하고 건강한 삶을 위해 자신을 돌보며 나아가는 모습을 같이 응원합니다.

내일로 미루기보단 지금 당장 시작하세요. 큰 변화를 이룰 작은 행동으로 첫 걸음을 내디뎌 보세요. 반복속에서 습관을 만들고 지속적으로 동기를 기억하면서 커다란 변화를 이루길 바랍니다.

(2)목표체중을 대략적인 범위로 설정하기

의료진과 함께 정확한 목표 체중을 설정하는 대신 시작시 목표 체중의 대략적인 범위를 정해두는 것이 중요합니다. 너무 높은 명확한 숫자를 지니기 보다 해당 목표를 포함하는 범위를 설정해 보세요.

목표에 대한 성공과 실패를 체중계안의 명확한 수치 하나만으로 판단하고 채찍질 하는 것은 과도한 부담을 주고 오해를 초래할 수 있습니다. 체중은 일시적으로 변동하기 마련이며, 식이 변화나 수분량의 변동 등이 영향을 미치기 때문입니다.

어느날 집요하게 높은 목표에만 집착하여 도달하고자 달리기가 시작이 되면, 과한 방식을 선택하게 되고 이후 유지하기가 힘들어 질수 있습니다. 예를 들어, 탄수화물 저하 식이를 초저열량 식단으로 진행하면 초기에 체중이 빠르게 감소할 수 있습니다. 그러나 이는 주로 체내의 저장된 수분이 함께 감소한 결과일 뿐이며, 실제로 체지방이 그만큼 감소한 것은 아닙니다. 탄수화물을 다시 보충하면 수분이 함께 증가하면서 체중이 다시 증가할 수 있습니다. 또한 식단을 장기간 유지하기도 힘듭니다.

따라서 목표 체중을 특정 숫자로 고정시키기보다는 이상적인 범위로 생각하는 것이 좋습니다. 목표 체중의 대략적인 범위를 정하면 일시적인 변동이나 체중 감소의 속도에 크게 신경쓰지 않고 자연스럽게 식단을 진행할 수 있습니다.

이러한 접근은 긍정적인 심리적 안정감을 지속 유지시켜줄 뿐만 아니라, 실제 몸의 변화를 더욱 가속화시키는데 도움을 줄수 있습니다.

(3)스스로를 따뜻하게 대하고 책망하지 않기

해당 치료는 어떤 이에게는 극심한 스트레스를 유발할수도 있습니다. 하지만 마음의 평정을 유지하려고 노력해야 하며 스트레스 관리에 대한 대처를 만들어 우아하게 과정들을 진행해야 합니다.

물론 이 말은 체중감량의 치료 과정에 현명하게 싸워 승리를 찾는 것이 중요하다는 것을 의미합니다. 처음 시작시 의료진과의 진료후 환자는 본인에 알맞는 2주 정도의 변화된 올바른 식습관을 잡아 스스로의 약속을 지키다보면 그것만으로도 처음의 고통이 심할수 있습니다. 하지만 좋은 의료진과 섬세한 식단 변화를 계획한거라면 처음의 높은 스트레스 또한 몸과 식욕이 리셋되면서 해당 고통 또한 서서히 줄어들 것을 미리 알아야 합니다. 누구에게나 어려울수 있으니 처음의 시작을 너무 불편하고 어려운 마음으로 시작하지 마세요. 또한 가족, 친구, 또는 새로운 운동 동료를 지원체계로 꼭 두어서 도움을 함께 받아보세요. 함께하는 여정이 더 유쾌하고 수월해질수 있습니다.

또한 어느날 갑작스러운 기존의 루틴에서 어긋나는 실수에 치명적이라는 생각은 하지 마세요. 더 중요한 것은 빠르게 올바른 길을 찾아 나가는 것입니다. 실수를 기록하되 책망하지 말고, 스스로를 응원하세요. 따뜻한 마음과 작은 실수에 대한 기록과 응원은 되돌리기 어려운 실수로 빠지지 않게 하는데 큰 도움이 됩니다.

제 5장

비만 대사증후군 환자의
식사평가 및 올바른 식단

5장 비만 대사증후군 환자의 식사평가 및 올바른 식단

의료진을 통한 환자의 생활교정에서 첫 번째로 가장 중요한 부분이 될수 있는 것은 식사의 교정 및 치료이며 이는 7할 이상의 중요도를 가지고 있습니다. 그렇기에 기본적인 평가는 환자와 의사 모두 해당부분에 많은 지식을 가지고 있어야 합니다.

우선적으로 시행될 종합적인 식사 평가는 진료과정에서 반드시 이뤄져야 하고 의료진은 환자의 영양 상태, 식습관, 식사 패턴 등을 종합적으로 평가하고 개인화된 조언을 제공해줄수 있어야 합니다.

또한 의사는 환자의 음식 섭취 기록 등을 통해 초기 평가도구로 환자의 식생활 평가를 실시하면서 이와 함께 환자의 여러 기본 자료들과 이를 함께 이해해야 합니다. 다양한 평가 도구들 중엔 필요에 맞춰 선택을 하되, 환자의 상태에 따라 영양 상태 평가지, 식습관 일지, 식이 섭취 기록 등을 활용하여 목적에 부합하는 도구를 선택할 수 있습니다.

식이는 비만인 당뇨 또는 대사증후군, 여러 만성질환자의 치료에 있어서 가장 중요한 부분이기에 환자는 의사의 진료에 적극적으로 협조해야 하고, 성실하게 매일 식사일지를 작성하는 꾸준함이 전체적인 진료에서 꼭 필요합니다.

이후 의사는 환자에게 종합적인 접근 방법을 통해 올바른 식사 평가를 수행하고 이를 기반으로 개별적인 영양 상담 및 조언을 제공할 수 있어야 됩니다.

환자의 경우도 조언에 따라 맞이하게 되는 새로운 식습관에 지속적으로 적응하기 위해 노력할 필요가 있고, 이에 대해 본인에게 맞는 것이 무엇인지 의료진에게 적극적으로 의견을 피력해야 합니다. 또한 환자도 의료진과 마찬가지로 해당 식단에 명확한 지식을 가지는 것이 중요하며 본 책엔 국내인이 시행하기 좋은 일주일의 식단을 모두 구성하여 두었으니 참고해주세요.

(1)가장 우선적으로 추천되는 식단 : 지중해 식단

건강에 대한 관심이 높아지면서 최근 지중해식 식단이 주목을 받고 있습니다. 이 식단은 과일, 채소, 통곡물, 저지방 단백질, 그리고 저지방 유제품을 중심으로 한 메뉴로 구성되어 있고, 건강과 체중감량 두가지를 달성하기 수월하기 때문에 가장 일반적으로 권해지는 식단입니다. 실제 이는 여러 연구 결과들에서 인슐린 저항성을 확실히 낮출수 있는 식단으로 알려져 있고 비만인 중 당뇨 또는 대사증후군, 여러 만성질환자에게 가장 우선적으로 추천할수 있습니다.

지중해식 식단은 일반적으로 적색 고기를 피하고 생선이나 흰색 고기로 단백질을 섭취하도록 권장됩니다. 이를 통해 체내 지방을 낮추고 체중 감량 및 대사 능력을 향상시켜 심혈관 질환을 예방

하는 데 도움이 된다고 알려져 있습니다. 실제로 최근 랜싯에 게재된 연구에 따르면 심혈관 질환 환자들이 지중해식 식단을 실천한 결과, 7년 이후 재발률이 26% 감소하였으며 특히 남성은 33%의 해당 질환의 감소율을 보였다고 합니다.

구성의 규칙은 단순합니다. 우선 메뉴 구성 측면에서는 야채, 생선, 올리브유, 그리고 견과류가 풍부하게 포함되어야 합니다. 특히 야채와 함께 섭취되는 생선은 불포화지방산을 충분히 섭취하여 심혈관 질환 및 당뇨병 위험을 낮출 수 있습니다.

한국식 고염분 식사에 익숙해져 있다면 지중해식 식단은 엄격한 식단으로 힘들게 시작하지말고 서서히 적응해 나가는 생활 습관의 일부로 간주되면서 시작하는 것이 좋습니다. 너무 엄격한 칼로리 제한이나 재료별 섭취량을 계산하지 말고 자연스럽게 적응해 가는 것입니다. 그러면서 총 칼로리에도 약간의 변화를 주어, 체중 감량을 목표로 하는 사람은 자신의 체질에 맞춰 유연하게 이를 적용할 수 있습니다.

간혹 지중해식단을 구성하는데 어려움을 토로하기도 하지만, 중요한 것은 무작정 메뉴를 맞추기보다는 해당 지중해식 식단의 이점을 자신의 문화권에 맞게 적용하고 즐겁게 실천하는 것이 중요한 식단입니다. 본 책자에는 각 식단의 소개 끝에 일주일의 국내인이

하기 좋은 식단 소개를 함께 작성하였습니다.

지중해식의 장점

지중해식 식단의 다양한 장점들은 종합적으로 봤을 때 건강에 긍정적인 영향을 미칩니다. 불포화지방산이 풍부한 올리브유와 생선의 섭취는 심혈관 건강을 증진시키는 데 도움을 주며, 이는 심혈관 질환 예방에 중요한 역할을 한다는 것입니다. 또한, 채소, 과일, 견과류, 생선 등의 다양한 음식을 섭취하는 것은 영양소 다양성을 확보하여 전체적인 건강에 이로울 뿐만 아니라 항산화 효과로 인해 세포 손상을 예방하는 데에도 도움이 됩니다. 체중 감량과 유지 역시 지중해식 식단의 특징 중 하나로, 이는 건강한 체중을 유지하고 심혈관 질환 및 기타 대사 질환의 위험을 줄이는 데에 도움을 줄 수 있습니다. 또한 최근의 연구 결과에 따르면, 해당 식단은 단순히 심혈관 질환 예방뿐만 아니라 뇌 건강 및 대사 기능의 개선과 같은 다양한 면에서 긍정적인 효과를 나타낼 수 있습니다. 따라서 지중해식 식단은 다양한 장점들에서 건강을 유지하며, 신체의 건강한 변화를 가지는데에 효과적인 선택지로 고려될 수 있습니다.

지중해식의 단점

다만 이러한 지중해식단에도 단점은 있을수 있고, 첫째로, 해당 지역의 특산 식재료를 구하기 어려워 비용이 높을 수 있습니다. 이로 인해 예산에 제약이 있는 사람들에게는 부담이 될 수 있습니다. 환자에게 구성을 할 때 이를 함께 염두해주세요. 마트에 매일 같이 들리는 것은 사실 부담이 될 수 있겠죠.

두 번째로, 특정 지역의 식단을 기반으로 한다는 점에서 음식 다양성이 부족할 수 있습니다. 이는 다양한 영양소를 얻는 데 제약을 줄 수 있으며, 특히 영양학적으로 균형 잡힌 식단을 원하는 사람들에게는 고려해야 할 측면입니다.

세 번째로, 다른 문화권에서 사는 경우 지역의 식재료와의 차이로 적응이 어려울 수 있습니다. 새로운 재료와 음식 스타일에 익숙해지는 데 시간이 걸릴 수 있습니다. 의사는 천천히 환자에게 변경을 요청해야하고, 환자는 혼자 해당 식단을 적용시키게 된다면 단계별로 변화를 가져보세요.

마지막으로 일부 사람들에게는 식사 양이 충분하지 않게 느껴질 수 있습니다. 이는 에너지 소모가 높은 활동을 하는 사람들이나 특정 건강 상태를 고려해야 하는 사람들에게는 고려해야 할 사항입니다.

이러한 단점들을 고려하여 담당 의료진과 함께 개인의 건강 상태,

식습관, 문화 평소 삶의 배경 등을 고려하여 식단을 선택하는 것이 중요합니다. 장점이 많은 식단들 중에서 본인이 장기간 유지할 수 있는 식단을 꼭 선택해보세요.

요일	아침	점심	저녁	총 칼로리
월	그리스 요거트와 견과류 (300)	토마토 베이스 파스타 (400)	그릴 레몬 허브 치킨, 채소 샐러드 (600)	1300
화	스피나치 오믈렛 (300)	새우와 채소 구이, 퀴노아 (450)	토마토 바질 치킨, 샐러드 (400)	1150
수	토마토 모짜렐라 베이글 (350)	참치 샐러드 롤 (400)	그릴 삼치살, 로즈마리 감자 (550)	1300
목	그리스 요거트와 견과류 (300)	채소와 올리브 오일 파스타 (400)	해산물 토마토 스튜 (600)	1300
금	레몬 바질 스무디 (250)	그릴 채소와 휘낭콩 샐러드 (450)	연어 스테이크, 샐러드 (450)	1150
토	바게트와 자몽 잼 (350)	마르게리타 피자 (400)	로즈마리 허브 치킨, 채소 (400)	1150
일	토마토 모짜렐라 베이글 (350)	그릴 새우와 채소 샐러드 (450)	오리진 그릴 램, 채소 (350)	1150

[한국인이 하기 쉬운 일주일치 지중해식 식단 식단]

(2) 체중 감량에 가장 효과적 : Weight Watchers 식단

해외에 Weight Watchers 식이로 알려진 WW 식이법이 체중감량에 가장 효과가 뛰어난 것으로 또한 알려져 있습니다. 해당 식이는 게임을 하듯이 음식마다 칼로리를 계산해 점수를 매겨 허용된 숫자만큼만 섭취하는게 원칙입니다.

WW(Weight Watchers) 식단은 즉 체중 감량을 돕기 위한 프로그램으로, 포인트 시스템을 중심으로 각 음식에는 포인트가 할당되고, 사용자는 하루에 소비 가능한 포인트의 제한을 받게 됩니다. 음식의 영양소, 칼로리, 단백질, 지방, 섬유질 등을 고려하여 포인트가 계산되며, 식품은 섬유와 단백질 함량이 높고, 지방과 당분이 낮을수록 더 낮은 포인트를 가지게 분포가 되어있습니다.

즉 무제한으로 섭취할 수 있는 ZeroPoint (0점) 음식도 있으며, 활동도 포인트로 산정됩니다. 사용자의 몸무게, 키, 성별, 나이, 활동수준 등을 고려하여 개인 맞춤형 식단 계획을 제공하고, 관련된

WW 앱을 통해 포인트 추적, 음식 추천, 레시피 공유, 그룹 참여 등을 할 수 있으며. 회원 간의 지원과 모임을 중요시하며, 온라인 그룹을 통해 동기부여와 피드백을 얻을 수 있는게 특징입니다.

주의해야 할 점은 의료진과 상담후 건강 상태와 목표에 맞게 조절을 해야하고, 영양균형을 유지하고 모든 영양소를 충분히 섭취해야 합니다. 또한, 운동은 중요하기 때문에 활동 포인트를 적극적으로 활용하는 것이 좋습니다.

기본적으로 해당 식단을 통해서 하루에 총 가져야 하는 포인트는 개인의 목표와 건강 상태에 따라 다를 수 있습니다. 보통 식단이나 건강 유지를 위한 목표로 설정하는데, 목표에 따라 적절한 일일 포인트를 설정하는 것이 중요하고 적극적으로 WW 관련 앱을 활용해보세요.

예를 들어, 하루에 목표로 하는 포인트를 20점으로 설정한다면, 음식과 운동의 포인트를 합쳐서 이 목표에 도달하도록 노력할 수 있습니다. 하지만 이는 단순한 예시이며, 실제 목표는 개인의 신체 상태, 목표 체중, 건강 상태, 식습관 등을 고려하여 설정해 볼수 있습니다.

이러한 전체 포인트에 식단 감시자를 두어 식단과 체중 변화를 지속적으로 감시하게 하는 것이 특징인데 이를 통한 과정이 있기에 칼로리 조절을 하기 때문에 가장 효과적이라는 평가가 있는게 사실이며, 초기 생소해서 익숙해지는데 시간이 걸릴수 있지만 금방 식단 조절에 편리함을 느낄수 있습니다.

음식	포인트
딸기 1컵	0 (ZeroPoint)
브로콜리 1컵	0 (ZeroPoint)
레몬 1개	1
간장 1스푼	1
계란 1개	2
토마토 소스 1스푼	2
닭가슴살 100g	3
오트밀 1컵	4
버터 1스푼	5
고구마 1개	5
백미 1컵	6
감자 1개	6
그릴된 연어 100g	7
미니핫도그 2개	8
아보카도 1개	8
치킨 너겟 4조각	9
스위트포테이토 칩스 1컵	12

[Weight Watchers 식단 포인트 표]

운동	포인트
스트레칭 15분	2
헬스 자세교정 20분	2
줄넘기 20분	3
스쿼트 15분	3
레그프레스 30분	4
필라테스 30분	4
라이딩 25분	3
복싱 40분	5
스텝 에어로빅 40분	5
30분 조깅	5
요가 1시간	6
바디컴뱃 50분	7
사이클링 45분	7
요가 필라테스 믹스 1시간	8
무도 1시간	8
카누 1시간	9
등산 2시간	10

[Weight Watchers 운동 포인트 표]

(3) 단기간의 가장 빠른 체중 감량 : 케토 식단

케토 식단의 경우는 저탄수화물, 고지방 식단으로 이루어져 있고, 지방 연소를 통해 체중 감량을 목표로 하는 이러한 '저탄수화물, 고지방'으로 체중 감량이 가장 빠르게 이뤄지는 식단 입니다. 즉 단기간에 살을 빼야한다면 시도해 볼 만 합니다. 이를 하루 총 칼로리의 80%를 지방으로 섭취하고, 대신 탄수화물류의 섭취를 극단적으로 줄이는 식사법인데, 아보카도, 올리브오일, 견과류, 생선 등 건강한 지방을 풍부하게 함유한 식품 위주로 식사하는 것이 가장 중요합니다.

다만 장기적으로 지속하면 부작용으로 고칼슘혈증 등을 부를 수 있으며 임산부나 당뇨병 환자의 경우 합병증을 유발할 수 있어 해당 이들에게는 권장되지 않습니다.

즉 케토 식단은 지방과 단백질을 중점적으로 섭취하고 탄수화물을 제한하여 몸을 케톤체 생성에 이끌어 지방 연소를 촉진하는 고지방, 저탄수화물 식단입니다. 이 식단은 신체의 에너지원을 탄수화물에서 지방으로 전환하여 체중 감량을 도모하는 데 중점을 둡니다. 아래는 케토 식단의 주요 특징과 원리에 대해 좀더 자세하게 기술해 봅니다.

1)고지방, 중단백 식품: 케토 식단에서는 고지방 식품을 중점적으로 섭취하고, 단백질을 적절하게 섭취합니다. 일반적으로 식단의 총 칼로리 중 70-80%는 지방에서, 20-25%는 단백질에서 나오도록 조절됩니다.

2)탄수화물 제한: 케토 식단의 핵심은 탄수화물 섭취 제한입니다. 이로 인해 혈당 수준이 일정하게 유지되지 않아 췌장이 인슐린을 적게 분비하게 되고, 그 결과 지방 분해가 촉진되어 케톤체를 생성합니다. 탄수화물 제한은 보통 하루에 20-50g 정도로 설정됩니다.

3)케톤체 생성: 탄수화물 섭취가 감소하면 췌장은 인슐린을 적게 분비하게 됩니다. 인슐린 부족으로 인해 간에서 지방을 분해하여 케톤체로 변환합니다. 케톤체는 뇌와 기타 조직에서 에너지원으로 사용될 수 있습니다. 즉 이러한 케토 식단의 주된 목표 중 하나는

체중 감량으로 케톤체 생성은 지방을 연소하고, 혈당 수준을 일정하게 유지하며, 식욕을 억제하여 체중 감량을 도모하는 데 도움을 줄 수 있습니다.

즉 결과적으로 식욕 억제 및 에너지 향상이 되며, 다른 식단에 비해 지방 및 단백질 섭취가 높아 포만감을 유지할 수 있으며, 케톤체를 활용하는 과정에서 에너지 수준이 안정될 수 있어 에너지 향상을 경험할 수 있습니다. 또한 대사 변화가 이뤄져 케톤체 생성에 따른 대사 변화로 인해 일부 사람들은 지방 연소 촉진과 체중 감량에 효과를 볼 수 있습니다.

그러나 위에 언급한 바와 같이 이러한 케토 식단에는 반드시 주의할 점도 있습니다.

영양소 부족 (탄수화물 제한으로 인해 필요한 영양소를 충분히 섭취하기 어려울 수 있음) 과 가짜 비만의 해결 (케토 식단은 몇 주 동안 체중 감량이 급격할 수 있으나, 이는 체내 수분 감소로 인한 것이며 실제 지방 감량이 아닐 수 있음) 및 탄수화물의 과도한 억제로 인한 부작용 (초기 부작용으로 어지러움, 피로감, 소화 문제 등을 경험) 이 가능하다는 점이 꼭 주의해야 할 점입니다.

이러한 케토 식단을 시도하기 전에 담당 의사와 충분히 상담하여 개인에 맞는 식단을 설정하는 것이 중요합니다. 또한, 장기간에 걸쳐 지속 가능한 식습관 변화를 고려해야 합니다.

	아침	점심	저녁	간식	총 칼로리
월요일	달걀 오믈렛 (2개, 100g 아보카도)	그릴된 닭 가슴살 샐러드 (150g 닭가슴살, 100g 샐러드)	소고기 스테이크 (200g) + 버터 브로콜리 (100g)	아몬드 (30g) + 치즈 (30g)	약 1400kcal
화요일	베리 팬케이크 (2개, 350g)	훈제 연어 샐러드 (150g 훈제 연어, 100g 샐러드)	치킨 허벌 티 그릴 (150g) + 로스마리 감자 (150g)	아몬드 (30g)	약 1400kcal
수요일	크림 치즈 팬케이크 (2개, 350g)	아보카도 샐러드 (150g 샐러드, 100g 아보카도)	살치살 로스티 (150g) + 오리엔탈 채소 볶음 (100g)	체다 치즈 (30g)	약 1400kcal
목요일	아몬드 밀크 쉐이크 (200ml) + 닭 가슴살 (100g)	새우 샐러드 (150g 새우, 100g 샐러드)	그릴된 연어 스테이크 (150g) + 아스파라거스 (100g)	목초란 (2개) + 치아씨드 (20g)	약 1400kcal
금요일	초콜릿 케토 스무디 (350g)	그릴된 새우 샐러드 (150g 새우, 100g 로메인)	소고기 스테이크 (200g) + 마늘 버터 새우 (100g)	블랙 올리브 (30g) + 아몬드 (30g)	약 1400kcal
토요일	삶은 달걀 (2개) + 아스파라거스 (200g)	통살 닭가슴살 샐러드 (150g 닭가슴살, 100g 샐러드)	그릴된 돼지고기 로인 (200g) + 찐 양배추 샐러드 (100g)	크림 치즈 (30g) + 아몬드 (30g)	약 1400kcal
일요일	스크램블 에그와 아보카도 (2개의 달걀, 100g)	샐러리와 치킨 토마토 샐러드 (150g 치킨, 100g 샐러리)	소고기 버거 (150g) + 체다 치즈 (30g)	양송이 버섯 슬라이스 (100g) + 녹차 (200ml)	약 1400kcal

[한국인이 하기 쉬운 일주일치 케토식단 식단]

(4) 구석기 식단

최근 간혹 언급되는 구석기식단은 현대 사회에서 발생하는 건강 문제와 체중 증가에 대한 대안 중 하나로 주목받고 있는 식단 조절방법입니다. 이 방식은 구석기 시대의 사람들이 섭취했던 식품을 모델로 삼아, 건강을 증진하고 체중을 감량하는 데 초점을 두고 있습니다.

구석기 식단의 주요 특징 중 구석기시대처럼 부족하게 먹으라는 것은 아닙니다. 중요한 점은 식품에 중점을 두고 있다는 점입니다. 주로 채소, 과일, 견과류, 육류, 생선, 식물성 기름 등이 해당 식단의 주요 메뉴로 추천되며, 가공 음식이나 인공 첨가물은 최대한 피하려고 노력합니다. 즉 지방 제거한 육류, 생선 계란, 다양한 과일과 채소, 견과류. 씨앗류 위주, 저염식을 진행하되 제외 식품은 시리얼 곡류, 유제품, 감자, 정제된 오일, 정제된 설탕. 가공식품은 피하게 됩니다.

또한 구석기식단은 음식을 가능한 한 가공하지 않고, 원시적이고 단순한 조리법을 사용하는 특징이 있습니다. 영양소의 손상을 최대한 줄이고 이를 통해 음식의 영양소가 최대한 보존되도록 하며 섭취를 하는 식단입니다. 탄수화물의 제한도 구석기 식단의 주요한 특징 중 하나인데 즉 전체 과정을 정제된 설탕과 밀가루의 섭취를 제한하고, 현대 식사에서 자주 섭취되는 탄수화물을 줄이는 것이 목표입니다.

해당 식단에서는 동물성 단백질 섭취를 강조하고 있는데, 이러한 이유는 단백질은 근육 형성과 신진대사에 중요한 역할을 하기 때문입니다. 또한, 건강한 지방원으로는 올리브 오일, 아보카도, 견과류가 권장됩니다.

정리하자면 구석기 식단은 건강한 식단과 함께 적절한 운동 및 규칙적인 생활 활동을 강조하여 전반적인 건강 증진을 목표로 하고 있습니다. 이를 통해 체중 감량과 건강한 라이프스타일을 동시에 추구하는 방법으로 주목받고 있습니다.

시간대	월요일	화요일	수요일	목요일	금요일	토요일	일요일
아침	계란후라이 (2개, 200g) · 320kcal	오믈렛 (2개, 250g) · 400kcal	스크램블 에그 (2개, 220g) · 300kcal	달걀말이 (2개, 230g) · 350kcal	아보카도 토스트 (1개, 150g) · 250kcal	닭가슴살 베이컨 롤 (2개, 240g) · 320kcal	달걀후라이 (2개, 220g) · 300kcal
점심	구운 닭가슴살, 채소 스티어드 (350g) · 500kcal	구운 닭가슴살 샐러드 (300g) · 450kcal	치킨 샐러드, 아몬드 (300g) · 500kcal	터키 샌드위치, 채소 (250g) · 400kcal	닭가슴살 샐러드, 아몬드 (280g) · 450kcal	소고기 스튜, 상추 샐러드 (350g) · 550kcal	구운 닭가슴살, 채소 스티어드 (350g) · 500kcal
간식	아몬드와 건포도 (30g, 30g) · 150kcal	아몬드와 건포도 (30g, 30g) · 150kcal	아몬드와 건포도 (30g, 30g) · 150kcal	아몬드와 건포도 (30g, 30g) · 150kcal	아몬드와 건포도 (30g, 30g) · 150kcal	아몬드와 건포도 (30g, 30g) · 150kcal	아몬드와 건포도 (30g, 30g) · 150kcal
저녁	연어 초밥 (6개, 200g) · 400kcal	생선 스테이크, 오이 샐러드 (300g) · 450kcal	소고기 스튜, 채소 (380g) · 600kcal	연어 스테이크, 브로콜리 (350g) · 450kcal	생선 타코, 양파 샐러드 (370g) · 500kcal	연어 초밥 (6개, 200g) · 400kcal	생선 스테이크, 오이 샐러드 (300g) · 450kcal
간식	그릭요거트와 베리 (150g) · 100kcal	그릭요거트와 베리 (150g) · 100kcal	그릭요거트와 베리 (150g) · 100kcal	그릭요거트와 베리 (150g) · 100kcal	그릭요거트와 베리 (150g) · 100kcal	그릭요거트와 베리 (150g) · 100kcal	그릭요거트와 베리 (150g) · 100kcal

[한국인이 하기 쉬운 일주일치 구석기 식단 식단]

(5) 고혈압 환자에게 적합한 식단 : 대시(DASH) 식단

미국 국립보건원(NH)이 고혈압 환자들을 위해 영양학자들과 만든 식단으로 DASH는 Dietary Approaches to Stop Hypertension의 약자입니다. DASH 식단은 즉 고혈압 예방과 관리에 효과적인 건강한 식습관을 강조하는 식단으로 주된 목표는 하루에 2,300mg 이하의 염분을 섭취하는 것이며, 특히 1,500mg로 제한할 수 있습니다. 이를 위해 염분이 풍부한 음식을 제한하는 것이 중요합니다. 해당 식단은 지중해식단과 마찬가지로 비만인 중 당뇨 또는 대사증후군, 여러 만성질환자에게 적극적으로 권할수 있습니다.

이 식단에서 중요시하는 식품군 중 하나는 채소와 과일입니다. 이들은 다양한 비타민과 미네랄이 풍부하며, 다양한 색상의 채소와 과일을 적절히 조합해야 합니다. 또한, 전체 곡물은 가공이 적게

된 형태로 선택하는 것이 강조되고 있습니다. 갈색 쌀, 귀리, 퀴노아와 같은 식품을 통해 식이섬유를 충분히 섭취하는 것이 중요합니다. 단백질은 고기, 닭, 어류, 대두와 같은 다양한 식품에서 골고루 섭취해야 합니다. 특히 어류는 오메가3 지방산이 풍부하여 심혈관 건강을 지킬 수 있습니다.

식단에서는 저지방 또는 무지방 유제품의 선택이 권장되며, 우유, 요거트, 치즈 등이 포함됩니다. 또한, 견과류와 씨앗은 건강한 지방과 다양한 영양소를 제공하므로 적절한 양을 섭취하는 것이 좋습니다. 또한 식물성 오일, 특히 올리브 오일은 다양한 요리에 활용되어 식사를 풍부하게 만들면서도 건강에 이로운 단일 불포화 지방을 공급합니다. 이렇게 다양한 음식군을 조화롭게 조합하여 DASH 식단의 핵심 원칙을 지켜가면서 건강한 식습관을 형성할 수 있습니다.

정리를 하면 고지방이나 고당분 음식은 최소화하고, 지방 함량이 낮은 음식 및 저지방 유제품과 저염을 선택하여 혈압을 관리하는 데 도움을 주는 식단이며, 반대로 염분이나 포화지방이 높은 과자, 단 음식은 제한해야 합니다.

이러한 종합적인 식습관은 비만인 중 당뇨 또는 대사증후군, 여러 만성질환자에게 도움이 되며, 합병증인 혈관 질환 예방과 체중 관리에도 도움을 줄 수 있습니다. 하지만 각 개인의 건강 상태에 따라 의료진과 상담후 적절한 식습관으로 어떻게 설정을 할지 결정하는 것이 중요합니다.

요일	아침	점심	저녁
월	150g 귀리죽 (80kcal) + 50g 딸기 (30kcal)	150g 닭가슴살 샐러드 (250kcal) + 1/2컵 갈치구이 (200kcal)	200g 샐러리 스틱과 휘낭콩 딥 (120kcal) + 100g 토마토 (20kcal)
화	150g 오트밀 죽 (150kcal) + 1/2컵 블루베리 (40kcal)	200g 연어 샐러드 (300kcal) + 1/2컵 콩나물 (30kcal)	150g 삶은 달걀과 아보카도 샐러드 (220kcal) + 1/2컵 브로콜리 (20kcal)
수	2개 완두콩 팬케이크 (200kcal) + 1개 바나나 (100kcal)	150g 토마토 브라우니 샐러드 (250kcal) + 150g 김밥 (300kcal)	150g 양배추롤 생야채 소스 (120kcal) + 1/2컵 당근 (25kcal)
목	1/2컵 견과류 그래놀라 (200kcal) + 1개 사과 (50kcal)	150g 치킨 쿠스쿠스 샐러드 (280kcal) + 1/2컵 새싹채소 (30kcal)	150g 소고기 스키야키 (220kcal) + 1/2컵 녹두 (30kcal)
금	150g 닭가슴살 스크램블 에그 (180kcal) + 1/2컵 파인애플 (40kcal)	200g 연어 베리 샐러드 (320kcal) + 150g 김밥 (300kcal)	1개 아보카도 샐러드 (250kcal) + 1/2컵 브로콜리 (20kcal)
토	150g 그리스 요거트 파프리카 샐러드 (200kcal) + 1개 오렌지 (60kcal)	150g 새우 샐러드 (280kcal) + 1/2컵 콩나물 (30kcal)	150g 두부구이와 야채 (120kcal) + 1/2컵 토마토 (20kcal)
일	2개 구운 달걀 (160kcal) + 1/2컵 딸기 (30kcal)	150g 훈제 연어 초밥 (300kcal) + 1/2컵 김밥 (250kcal)	150g 닭가슴살 샐러드와 갈릭 드레싱 (220kcal) + 1/2컵 브로콜리 (20kcal)

[한국인이 하기 쉬운 일주일치 DASH 식단]

⑹ 초보에게 좋은 식단 : 플렉시테리언과 TLC 식단

초보가 손쉽게 따라하기 좋은 식단이 무엇이 있을까요? 최근의 경우 플렉시테리언과 TLC 식단이 공동으로 1위로 꼽혔습니다.

플렉시테리언 식단은 통곡물, 채소, 과일 위주로 식사하며, 고기는 가급적 멀리하고 계란이나 닭가슴살, 생선 등으로 대신하는 식단이며, 제한이 심하지 않기 때문에 엄격하게 칼로리이나 규칙이 없어 바쁜 직장인이 쉽게 도전하기 좋습니다.

플렉시테리언 식단은 주로 식물성 식품 중심으로 구성되지만, 일부 동물성 단백질을 소량 섭취하는 원칙이 있는 식단입니다. 이러한 식단은 채식주의자와 육식주의자 사이의 중간 지점 정도로 위치하는 식단으로 이해하면 되며, 유연하게 다양한 식품을 선택할 수 있는 특징이 있습니다. 몇 가지 주요 특징은 다음과 같습니다.

1)다양한 식품 선택: 플렉시테리언은 채식주의자처럼 과일, 채소, 견과류, 씨앗, 곡물 등의 다양한 채식 식품을 섭취하면서, 일부 동물성 단백질 원천으로 계란, 우유, 어류, 닭가슴살 등을 선택합니다.

2)유연성: 플렉시테리언 식단은 엄격한 규칙이나 제한이 없어 유연성이 높은 편으로 다양한 식품을 즐길 수 있고, 상황에 따라 식단을 조절하기 용이하다는 장점이 있습니다. 즉 식단을 준비하는 스트레스가 상대적으로 적을수 있죠.

3)건강 혜택: 식물성 식품을 중심으로 섭취하면서도 동물성 단백질을 일부 함께 섭취함으로써 다양한 영양소를 확보할 수 있습니다. 이로 인해 식이섬유, 항산화물질, 비타민, 미네랄 등을 다양하게 섭취할 수 있습니다.

4)환경적 영향: 플렉시테리언 식단은 환경 친화적인 선택을 해낼 수 있게 해주며, 동물성 식품 소비를 줄이면서도 환경적으로 친화적인 선택을 할 수 있는 것으로 알려져 있습니다.

이러한 이유로 플렉시테리언 식단은 많은 사람들에게 건강하고 지속 가능한 식습관으로 여겨지고 있습니다. 다음과 같이 일주일 치 식단을 고려해봅시다.

요일	아침	점심
월요일	두부 스크램블 에그 (150g) + 야채 샐러드 (200g)	연어 스테이크 (150g) + 로즈마리 감자 (150g)
화요일	오트밀 (50g) + 과일 (150g)	토마토 베이스의 채소 스튜 (250g) + 온 국수 (100g)
수요일	그릭 요거트 (150g) + 견과류 (30g)	채소 샌드위치 (200g) + 닭 가슴살 슬라이스 (150g)
목요일	베이컨 (50g) + 토마토 샌드위치 (150g)	새우 볶음밥 (200g)
금요일	두부 스크램블 에그 (150g) + 아보카도 토스트 (100g)	훈제 햄 샐러드 (200g) + 국수 (100g)
토요일	그릭 요거트 (150g) + 견과류 (30g)	소고기 타코 (200g) + 시금치 샐러드 (150g)
일요일	크림 치즈와 토스트 (100g)	채소 덮밥 (200g) + 고구마 샐러드 (150g)

요일	저녁	총 칼로리
월요일	그릴한 닭가슴살 (150g) + 채소 샐러드 (200g)	약 1350kcal
화요일	연어 스테이크 (150g) + 로즈마리 감자 (150g)	약 1400kcal
수요일	채소볶음 (150g) + 토마토 소스 파스타 (150g)	약 1380kcal
목요일	그릴한 연어 (150g) + 감자 퓨레 (150g)	약 1420kcal
금요일	연어 스테이크 (150g) + 로즈마리 감자 (150g)	약 1390kcal
토요일	그릴한 연어 (150g) + 감자 퓨레 (150g)	약 1380kcal
일요일	닭 가슴살 피자 (200g)	약 1400kcal

[한국인이 하기 쉬운 일주일치 플렉시테리언 식단]

다른 식단인 TLC(Therapeutic Lifestyle Changes Diet) 식단의 경우는 저지방 식단 식단으로 일일 섭취 칼로리 중 포화지방을 7% 미만으로 줄이는 것이 핵심입니다.

즉 기름진 고기, 버터 등의 유제품, 볶거나 튀긴 음식, 햄이나 소시지 등의 가공육을 최대한 피하고, 채소의 섭취량을 늘리는 방식입니다. 이는 혈관 속 콜레스테롤을 낮추는 데 효과가 있기에 당연히 비만인 중 당뇨 또는 대사증후군, 여러 만성질환자에게 추천될수 있습니다.

해당 식단은 실제 고혈압, 고콜레스테롤, 당뇨병 및 심혈관 질환과 같은 심혈관 질환의 위험 인자를 관리하기 위해 개발된 식습관 및 생활 방식의 종합적인 접근법이며, 이 식단은 식단뿐만 아니라 신체 활동, 체중 관리, 흡연과 같은 다양한 측면에서 건강한 생활 습관을 촉진하는 것을 목표로 하고 있습니다.

TLC 식단의 주요 특징은 다음과 같습니다:

1)저지방 식단: 식단의 핵심은 포화 지방 및 콜레스테롤 섭취를 제한하고, 특히 트랜스 지방을 피하는 것입니다. 고지방 식품, 특히 동물성 지방이 많은 식품을 제한하여 혈중 콜레스테롤 수치를 개선하고 동맥 경화를 예방합니다.

2)다양한 식품 그룹: TLC 식단은 과일, 채소, 곡물, 단백질원(특히 낮은 지방 함량의 육류, 어판류, 대체 단백질원)을 균형 있게 섭취하도록 권장합니다. 이를 통해 식이섬유, 비타민, 미네랄 등을 적절히 섭취하여 신체 기능을 유지하고 건강한 체중을 유지합니다.

3)나트륨 제한: 고혈압을 관리하기 위해 나트륨 섭취를 제한하는 것이 중요합니다. TLC 식단에서는 고나트륨 식품을 피하고 조리 시 소금 사용을 제한하는 것이 권장됩니다. TLC 식단의 경우 DASH 식단과 유사한 점들도 있습니다.

	아침	점심
월요일	50g 닭가슴살, 1/2 개 아보카도, 1개 달걀, 30g 토마토	150g 참치 샐러드, 150g 채소 샐러드, 30g 건과류
화요일	40g 오트밀, 100g 블루베리, 10g 아몬드	150g 닭가슴살 샐러드, 100g 퀴리 샐러드
수요일	100g 견과류와 건강한 채소 스크램블 에그	150g 토마토 수프, 200g 샌드위치 (100g 닭가슴살, 100g 야채)
목요일	300ml 그린 스무디 (채소, 과일, 요거트, 아이스)	150g 퀴노아 샐러드, 150g 살라미
금요일	1조각 통밀 토스트, 50g 아보카도, 1개 달걀	150g 새우 샐러드, 1개 갈릭 브레드
토요일	150g 스파이시 오믈렛 (계란, 채소, 토마토), 150g 미니 요거트 스무디	150g 훈제 연어, 150g 콜드 쿠스쿠스 샐러드
일요일	150g 그릴한 치킨 브레스트, 150g 국수와 채소	150g 미니 두부 버거, 150g 로메인 샐러드

	저녁	간식	총 칼로리
월요일	150g 그릴한 연어, 150g 감자 샐러드, 50g 미니 토마토	50g 과일, 10g 아몬드	약 1400kcal
화요일	150g 토마토 베이스 파스타 (올리브 오일 사용), 30g 피칸	50g 요거트, 50g 생과일	약 1400kcal
수요일	150g 그릴한 닭가슴살, 100g 근채 샐러드, 30g 오이 스틱	50g 허니머스타드	약 1400kcal
목요일	150g 황태구이, 50g 견과류와 채소 샐러드	100g 과일 또는 150g 건강한 단백질 스무디	약 1400kcal
금요일	150g 닭가슴살 그릴, 100g 채소 샐러드	30g 체다 치즈, 50g 오렌지 슬라이스	약 1400kcal
토요일	150g 채소와 토마토 베이스 브라우니스, 150g 그린 애플	100ml 무설탕 과일 주스	약 1400kcal
일요일	150g 토마토 소스 치킨 스파게티, 150g 그린 애플	50g 체다 치즈, 50g 닭가슴살 슬라이스	약 1400kcal

[한국인이 하기 쉬운 일주일치 TLC 식단]

참고 : 체중감량에 도움이 되는 영양소

다양한 식단을 하면서 어떤 영양소들이 비만도를 낮추는데 도움이 되는지 명확히 아는 것은 큰 도움이 됩니다. 이렇게 영양소에 대한 명확한 지식이 있다면 본인 스스로 식단을 구성하는데 어려움도 줄어들게 됩니다.

1.크롬:

크롬은 다양한 음식에 함유되어 있으며, 하루에 200 마이크로그램을 복용하면 인슐린 흡수에 도움을 줄 수 있어 세포의 혈당 사용이 효과적으로 이루어집니다. 정제된 설탕과 밀가루에는 크롬이 부족하므로 건강한 음식을 통해 적절한 섭취가 필요합니다.

2.비타민 B5(판토텐산):

비타민 B5(판토텐산)은 호르몬 분비를 원활하게 하고, 스트레스를 감소시키는 데 도움을 주는 역할을 합니다. 또한 비만 억제에 효과가 있으며, 부작용 없이 나쁜 콜레스테롤 수치를 감소시키고 좋은 콜레스테롤 수치를 높이려면 하루에 300 밀리그램을 섭취하는 것이 권장됩니다.

3.라이코펜:

라이코펜은 토마토에 풍부하게 포함되어 있으며, 남성의 전립선뿐만 아니라 남녀 모두에게 비만과 복부 비만 예방에 도움이 됩니다. 항산화 성분으로 알려진 라이코펜을 많이 섭취하는 여성은 여러 연구 결과에 따르면 비만 및 복부 비만 위험이 낮다는 것을 확인할 수 있습니다.

4.비타민 D:

비타민 D는 체중 감량에 도움을 줄 수 있습니다. 지방 세포에서 발생하는 호르몬 '렙틴'의 조절에 영향을 통해 식욕을 억제합니다. 충분한 섭취는 체중 감량을 더 효과적으로 도울 수 있습니다.

5.칼슘:

칼슘은 신체 내 지방 대사를 조절하고 체지방 축적을 억제하는 데 도움을 줍니다. 칼슘 섭취 부족은 지방 저장 증가의 원인이 될 수 있습니다.

6.마그네슘:

마그네슘은 에너지 생산과 신체 활동을 지원하여 운동 효과를 극대화할 수 있습니다. 마그네슘 섭취는 인슐린 민감성을 향상시켜 체중 감량에 긍정적인 영향을 미칠 수 있습니다.

7.칼륨:

칼륨은 체내의 수분 균형을 조절하고 대사 속도를 향상시켜 체지방 감소를 도울 수 있습니다. 고칼륨 식품은 식사 후 빠른 포만감을 주어 식욕 억제에 도움이 됩니다.

8.식이섬유:

식이섬유는 소화를 지연시켜 포만감을 유지하고 혈당을 안정시켜 체중 감량에 도움을 줄 수 있습니다. 고섬유 식품은 칼로리를 낮추는 데 도움을 줄 수 있습니다.

9.오메가-3 지방산:

오메가-3 지방산은 혈중 지질 수치를 개선하고 신체의 염증을 감소시켜 체중 감량에 도움을 줄 수 있습니다. 신체 지방 분해를 지원하여 체지방 감소에 기여합니다.

10.비타민 C:

비타민 C는 신체 내 콜레스테롤 수치를 조절하고 대사 속도를 증가시켜 체중 감량에 도움을 줄 수 있습니다. 스트레스 감소와 과다 섭취로 인한 체중 증가 예방에 효과적입니다.

참고 : 누구나 실수하기 쉬운 술과 관련된 주의사항

식단을 조절하는 성인들 중에서도 알코올에는 예외를 두는 경우도 있습니다. 해당 부분은 중요한 오류입니다.

즉 알코올의 경우 술의 종류에 따라 열량 구성이 달라지고 실제 열량이 포함되는 만큼 주의를 요합니다. 증류주(소주, 보드카, 위스키, 고량주, 브랜디 등)는 보통은 주로 알코올의 열량만을 갖고 있습니다. 특히, 국내에서 소비되는 향을 첨가한 소주의 경우는 칼로리가 있는 편인데 이는 일부는 당을 첨가하여 자체 열량을 가지기도 하기 때문입니다. 술의 열량과 알코올량은 다음 표와 같습니다. 실제로도 상당한 열량을 가지고 있음을 알수 있죠

	1 잔 (ml)	알코올함량	1잔당 열량(kcal)	1잔당 알코올량(g)	남성 1일 권고 음주단위 (여성)
소주	45	20%	63	9	4잔 (2잔)
맥주	200	4.50%	88	9	4잔 (2잔)
고량주	30	40%	84	12	3잔 (1.5잔)
보드카	30	39%.	82	11.7	3잔 (1.5잔)
막걸리	150	6%	69	9	4잔 (2잔)
위스키	30	40%	84	12	3잔 (1.5잔)
포도주	150	15%	124	22.5	2잔 (1잔)

또한 알코올의 경우는 섭취시에 체내에 직접적으로 축적되지 않지만, 섭취 후 체내에서 지방의 산화를 방해하는 악효과가 함께 있다는 것을 유념해야 합니다.

즉 이는 비만인 중 당뇨 또는 대사증후군, 여러 만성질환자의 체중 조절에 있어서 음주는 부정적인 영향을 미치게 됩니다. 또한 국내의 한국인을 대상으로 한 연구에서는 알코올 섭취량이 높을수록 에너지 섭취의 증가와 복부 비만과의 관련성이 있다는 점도 보고된 적이 있습니다.

즉 이제는 기존의 과한 음주와도 거리를 두는 준비를 해야 합니다. 이제 한번 술을 내려놓아봅시다. 단 지속적으로 음주가 있었다면 해당 전문의료진과 상담후 금주 약제를 복용하며 지지를 받으면서 금주를 계획해야 합니다.

또한 식단 변경과 금주등은 기존의 습관을 크게 벗어나는 것이기 때문에 시작함에 있어서 부담이 클수 있습니다. 식단을 변경할때와 동일하게 긍정적인 마음가짐과 일상적인 습관 형성을 해보려고 시작을 해봐야합니다. 의욕이 떨어지거나 기존으로 돌아가려고 할 때 비만인 중 당뇨 또는 대사증후군, 여러 만성질환자분들 모두 목표로 하는 건강수명 연장의 이유에 대해 다시한번 상기해주세요.

위의 식단과 음주등에 관해 여러 설명을 드렸습니다. 무엇보다 각 개인은 다르고, 누군가에겐 손쉬워보이는 식단의 변경과 술에 대한 태도의 변화는 생각보다 변화를 받아들이기 어려워 하는 분들이 많습니다.

본인의 몸에 맞는 전체적인 교정이 이뤄질수 있도록 장기간 이행할수 있는 올바른 습관을 찾아보고, 금주를 포함한 이에 대한 약제 치료등의 조언을 전문의료진과 함께 의견을 나누면서 정하는 것을 추천드립니다.

참고 : 미리 알아야할 식사장애에 대해서

때로는 환자에게는 본인이 몰랐던 식사장애가 발견되는 경우도 있습니다. 이는 식단을 조정하고 식단 총칼로리를 감량시키기전에 반드시 의료진과 해결해야 하는 항목입니다.

즉 식사장애 평가는 비만 치료에서 중요한 부분입니다. 특히 비만인 중 당뇨 또는 대사증후군, 여러 만성질환자의 비만은 단순한 체중문제가 아닌 정서적인 측면과도 연결되어 있는 경우도 있습니다. 이러한 관점에서 식사장애를 평가하는 것은 중요한 의미를 갖습니다.

비만의 원인을 다각도로 이해하기 위해서는 체중 조절이나 식습관 문제뿐만 아니라, 비만인 중 당뇨 또는 대사증후군, 여러 만성 질환자의 경우 체형 왜곡과 체중 증가에 대한 두려움 같은 정서적인 측면을 정확히 의료진이 파악을 해야 합니다. 이는 방치할 경우 심각한 합병증으로 이어질 수 있는 문제를 미리 예방하고, 개인들의 개개별 치료 전략 수립에 변화를 줄수 있습니다.

환자 본인에게 드물게 식이장애가 있을수 있고, 다양한 정신과적 문제가 있을시 전문의료진과 함께 꼭 교정이 필요할수 있습니다.

-식이장애 평가법

식단을 결정하고 식단을 교정하기로 한 경우, 섭식 행동 질문지와 섭식태도검사를 통해 개인의 섭식 습관과 태도를 면밀히 파악하는 것이 중요합니다. 우선은 섭식 행동 질문지인 Dutch Eating Behavior Questionnaire (DEBQ)를 활용하여 자신의 섭식을 자세히 살펴보고, 섭식태도검사인 Eating Attitude Test (EAT 또는 EAT-26)를 통해 섭식의 방식에 문제가 있는지 확인할 수 있습니다.

조금더 간편한 검사가 있을지 살펴본다면 그리고 KEAT와 같은 쉽게 확인할 수 있는 섭식태도검사도 활용할 수 있습니다. 이러한 검사를 통해 개인의 섭식과 태도에 대한 명확한 파악이 가능하며,

이는 효과적인 식단 계획 수립과 진행에 도움이 될 것입니다. 국내를 기준으로 쉽게 만들어진 해당 도구를 통해 의사와 함께 개인의 식이 행태를 평가하고, 식사의 질에 대한 고려를 함께 진행할 수 있습니다.

	5	4	3	2	1	0
살찌는 것이 두렵다.						
배가고파도 식사를 하지 않는다.						
나는 음식에 집착하고 있다.						
억제할수 없이 폭식한적이 있다.						
음식을 작은 조각으로 나누어 먹는다.						
자신이 먹고 있는 음식의 영양분과 열량을 알고 먹는다.						
빵이나 감자 같은 탄수화물이 많은 음식은 특히 피한다.						
내가 많은 음식을 먹으면 다른 사람들이 좋아하는 것 같다						
먹고 난 다음 토한다.						
먹고 난다음 심한 죄책감을 느낀다.						
자신이 좀 더 날씬해져야겠다는 생각을 떨쳐 버릴수 없다.						
운동을 할 때 운동으로 인해 없어질 열량에 대해 계산하거나 생각한다.						
남들이 내가 너무 말랐다 생각한다.						
내가 살이 쪘다는 생각을 떨쳐버릴 수가 없다						
식사시간이 다른 사람보다 길다						
설탕이 든 음식은 피한다						
체중 조절을 위해 다이어트용 음식을 먹는다						
음식이 나의 인생을 지배한다는 생각이 든다.						
음식에 대한 자신의 조절능력을 과시한다.						
다른 사람들이 나에게 음식을 먹도록 강요하는 것 같다						
음식에 대해 많은 시간과 정력을 투자한다						
단 음식을 먹고 나면 마음이 편치않다.						
체중을 줄이기 위해 운동이나 다른 것을 하고 있다.						
위가 비어있는 느낌이 있다.						
새로운 기름진 음식 먹는 것을 즐긴다.						
식사후 토하고 싶은 충동을 느낀다.						

[KEAT]

5점 : 항상 그렇다 4점 : 매우 자주 그렇다 3점 : 자구 그렇다 2점 : 가끔 그렇다

1점 : 거의 드물다 0점 : 전혀 없다

남자 : 15점 이하, 여자 18점 이하 - 식이 문제가 없음

남자 : 15-18점, 여자 18-21점 - 식사 문제의 경향성이 있음

남자 : 23점, 여자 27점 이상 - 심한 식사 문제를 가진 사람

스스로 직접 점수를 내볼까요? 의료진도 진료시 간략하게 활용해 볼수 있습니다. 환자는 간단히 해당 점수표를 이용해서 본인을 판단해볼수도 있습니다. 식사의 문제가 심하지 않다고 판단이 든다면, 의료진과 함께 곧바로 조금더 섬세한 식단과 관련된 계획 및 조언이 시작될수 있지만 식사장애가 있다면 해당식사장애에 대해 명확히 진단이 이뤄져야 하며 식단 교정전에 반드시 해당 치료가 꼭 필요합니다.

실제 식사장애에는 다음과 같은 크게 3가지의 것이 있습니다.

신경성 식욕부진 (Anorexia nervosa)은 연령, 성별, 발달 단계를 고려하여 최소 수준에 미치지 못하는 저체중을 유지하며, 체중 증가에 대한 극심한 두려움과 체중, 체형에 대한 왜곡이 나타납니다. 해당 신경성 식욕부진에는 제한형과 자발적 구토등이 있는 폭식 제거형으로 나뉘며, 최근의 기준에서는 무월경은 기준에서 삭제하

였습니다. 또한 심각성은 의사와의 진료하에 BMI등을 참고하여 경도부터 중증까지로 나뉩니다.

신경성폭식증(Bulimia nervosa)의 경우 폭식과 부적절한 보상 행동이 주 1회 이상, 3개월 동안 반복되며, 폭식 후 자가 혐오감과 우울, 자책감을 경험합니다. 해당 폭식의 경우 폭식의 반복적인 삽화, 폭식 삽화는 두 가지 주요 특징으로 구성됩니다. 첫 번째로, 일정한 시간(보통 2시간 이내) 동안 대부분의 사람이 유사한 상황에서 먹는 것보다 분명하게 많은 양의 음식을 먹는 것이 포함됩니다. 두 번째로, 삽화 중에는 먹는 것에 대한 조절 능력을 상실하여 음식을 제어하지 못하게 되는 것이 특징입니다. 이러한 특징들이 폭식장애의 진단 기준 중 일부로 고려됩니다. 또한 부적절한 보상 행동은 스스로 유도한 구토, 이뇨제 남용, 관장약, 금식 또는 과도한 운동 등이 포함되며, 심각성은 주간 폭식-구토 횟수에 따라 경도부터 아주 심한 정도까지로 나뉩니다.

폭식장애(Binge-eating disorder)는 폭식의 반복적인 삽화로 특징지어지며, 폭식 중에 음식을 조절할 수 없는 무력감을 경험합니다. 폭식 후에는 자가 혐오감, 우울감을 경험하지만, 이를 완화하기 위한 부적절한 보상 행동은 없습니다. 심각성은 주간 폭식 횟수에 따라 경도부터 아주 심한 정도까지로 나뉩니다.

제 6장

비만 대사증후군 환자의
수면 및 스트레스관리

6장 비만-대사증후군 환자의 수면 및 스트레스관리

(1) 수면관리

수면은 건강한 라이프스타일의 가장 중요한 부분 중 하나로 여겨지고 있고, 이는 비만의 관리에서도 꼭 필수적입니다.

특히 비만인 중 당뇨 또는 대사증후군, 여러 만성질환자의 비만 관리에서는 수면에 대한 주의가 무엇보다 강조됩니다. 모든 비만 환자에 대한 수면 스크리닝을 우선적으로 첫 진료시에 함께 하게 되는데 이는 수면 시간과 입면 간의 규칙적인 변화를 중요한 지표로 보면서, 교대 근무자들은 특히 수면과 관련된 고위험군으로 간주됩니다.

잠을 충분히 자는 것은 비만을 벗어나는데 중요한 역할을 합니다. 매일 7~8시간의 수면은 기운을 회복하고 몸의 대사를 정상화시키는 데 도움이 됩니다. 충분한 수면을 취하지 못하면 세로토닌과 도파민과 같은 신경물질이 충분히 분비되지 않아, 몸은 이를 보상하기 위해 단 음식에 대한 욕망을 증가시키기도 합니다. 더구나, 수면 부족은 식욕을 자극하는 NPY(신경펩타이드 Y) 수치를 높일 수 있어, 식사량이 증가하게 됩니다. 실제 식욕억제에 또한 영향을 주는 렙틴의 수치도 수면이 부족하고 망가지면 같이 줄어들기에 안정된 범위에서의 변화가 중요한 렙틴의 특징상 이러한 점에서 호르몬의 안정성을 위해서라도 규칙적이고 안정화된 수면은 비만도의 관리에 꼭 필수적입니다. 따라서, 충분한 수면을 취하는 것은 건강한 식습관과 체중 관리에 중요한 부분입니다.

의사가 수면 문제가 의심되는 환자라는 판단이 서게 되면 관련된 구체적인 평가가 우선적으로 함께 시행되어야 합니다. 환자의 수면의 질과 방해 요인을 평가하고, 이를 토대로 개별화된 수면을 개선시킬 계획을 수립합니다.

기본 환자의 안정적인 수면의 목표는 1일 7~8시간 이상의 수면을 규칙적으로 유지하는 것입니다. 수면 시간 연장을 위한 행동 교정 및 수면 위생 관리가 중요하며, 이를 통해 망가진 수면이 비만도에 악화를 주는 정도를 조절하게 됩니다. 즉 수면에 대한 중

재와 체중 관리를 동시에 진행해야 합니다. 또한, 수면을 저해할 수 있는 비만 동반 질환의 관리가 필요합니다. 예를 들어 폐쇄수면무호흡은 수면 문제와 더불어 비만과 연관이 깊으며, 우울증 및 위식도역류병 또한 수면에 부정적인 영향을 미칠 수 있습니다. 해당 질환들은 우선적으로 함께 교정할수 있게 해주고, 비만치료를 함께 진행하여 종합적인 수면중재치료를 계획하여 진행해야 합니다.

환자들이 개인적으로 반드시 알고 행하면 좋을 수면 위생 관리법에 대해 단순한 원칙들을 좀더 상세히 작성을 드립니다. 다음과 같은 수면 위생을 지키는 반복적인 습관들이 실제 가장 중요한 건강한 수면 형성하는 방법입니다. 이를 지키는 것을 목표로 하여 수면사이클을 건강하게 지켜주세요.

A.규칙적인 수면 시간: 매일 밤 일정한 시각에 잠자리에 들고, 아침에도 비슷한 시각에 일어나는 습관을 만들어야 합니다. 이는 몸의 생체 리듬을 조절하여 수면의 질을 향상시키는 데 도움이 됩니다.

B.낮잠 피하기: 낮잠은 피하거나 짧게 가져야 합니다. 특히 늦은 오후에는 긴 낮잠을 피해야 하며, 이는 밤에 잠을 방해할 수 있습니다.

C.자연광 노출: 이른 아침에 햇볕을 쬐고, 오후 늦게는 밝은 빛에 노출되는 것이 수면의 조절에 도움이 됩니다.

D.운동 시간 조절: 잠자리에 들기 전 2시간 이내에는 격한 운동을 피하는 것이 좋습니다. 운동은 기분 전환 및 피로를 유발할 수 있어 수면에 부정적인 영향을 미칠 수 있습니다.

E.음료 섭취 제한: 잠자리에 들기 전 6시간 이내에는 카페인 및 알코올 섭취를 피해야 합니다. 이러한 물질은 수면을 방해할 수 있습니다.

F.흡연 자제: 흡연은 특히 저녁 시간에 피하는 것이 좋습니다. 니코틴은 중추 신경계를 자극하여 수면을 방해할 수 있습니다.

G.편안한 환경 조성: 부드러운 침구를 사용하고, 침실에 외부 빛과 소음을 차단하며, 적절한 실내 온도를 유지하는 것이 중요합니다.

H.침대의 목적화: 침대는 수면을 취할 때만 사용하고, 다른 활동은 다른 장소에서 이루어져야 합니다.

I.자극적인 음식 회피: 최근의 다양한 맵고 짠 음식들과 지나치게 단음식들은 피하되, 어쩔수 없이 섭취하게 된다면 잠자리에 들기 전 4~6시간 이전으로 권해드립니다.

J.편안한 활동: 저녁 시간에는 편안한 활동을 선택하여 긴장을 풀고 수면을 촉진할 수 있습니다. 목욕, 심호흡, 요가, 명상, 독서 등이 그 예시입니다.

(2)스트레스관리

보통의 비만인 중 당뇨 또는 대사증후군, 여러 만성질환자들은 현재의 비만 상태에 대한 낮은 자존감, 자기가치감, 장기화된 비만상태로 인한 무력감, 그리고 부정적인 감정 등의 요소로 인해 상당한 스트레스를 함께 받고 있습니다. 이러한 것은 분명히 체중 증가의 원인으로 작용 및 가속화시킬 수 있습니다.

이와 함께 스트레스는 자기 관리 및 실행 기능과 같은 인지 과정을 방해할 수 있게 되고, 가족 관계의 불화나 정신적, 감정적 과부하로 인한 스트레스는 부적절한 대처를 더욱 강화할 수 있습니다.

본인이 스트레스 상황에 있다면 이러한 스트레스로 인해서 과식 행위가 생기지는 않는지 면밀하게 같이 관찰해보세요. 실제 스트레스의 정도는 심지어 수면 패턴에도 영향을 주기 때문에 환자에게 렙틴 호르몬이 낮은 상태를 지속적으로 만들수도 있습니다. 결과적으로 폭식에도 영향을 줄수 있게 됩니다. 해당 내용을 기록하여서 담당의료진과도 공유를 해보세요.

높은 스트레스 정도는 실제 에너지 항상성을 파괴하고 혈중 코티솔, 그렐린, 인슐린 및 전염증성 사이토카인과 같은 농도를 상승시켜 식욕을 증가시킬 수 있습니다. 생각을 해본다면, 슬프거나 스트레스를 받는 상태에서는 고지방식이나 단 음식, 그리고 고칼로리 음식에 대한 열망이 더 커지는 경험이 다들 있을거에요. 그러하기에 각자의 스트레스가 과도한 식욕을 유발할수 있기 때문에 반드시 본인만의 새로운 대처법이 있어야 합니다.

또한 의료진은 비만인 중 당뇨 또는 대사증후군, 여러 만성질환자으로 체중 감량 치료를 받는 환자들 중 해당 질환으로, 또는 각자의 삶의 일들로 인해 환자에게 발생가능한 우울증, 폭식, 신체적인 고민등을 반드시 늘 확인해야 합니다. 특히 체중에 대한 자체 인식이 높은 환자들의 경우 비만과 관련된 자체가 스트레스로 지속적으로 작용하는 경향도 있습니다. 이들은 보통 체중 관련 낙인을 주변에서 경험하는 경우가 많아서 그런 경우도 많습니다. 또한, 일부의 비만 환자에서 시상하부-뇌하수체-부신축의 조절 장애가 발생하여 여러 지속적인 스트레스와 우울증을 유발한다고 추정되기도 합니다. 환자 개인마다 비만과 관련된 상황 자체가 스트레스가 다양한 이유로 유발할 수 있다는 것을 의료진도 명확히 늘 알아야 하고, 환자분이 스트레스를 통해 지속적으로 비만이 악순환을 겪지않도록 여러 해결책이 함께 제시되어져야 합니다.

환자 또한 치료가 시작된다면 스트레스와 감정적인 우울감이 있을시 전체 치료의 강화를 위해 반드시 새로운 본인만의 대처법이 있어야 합니다. 가장 현명한 대처법은 앞으로 치료로 인해 바뀌는 생활방식을 스트레스 해소와 자연스럽게 연결하는 방법입니다.

새로운 생활방식을 구성할 때 본인이 행복을 느낄만한 요소들로 조합하여 구성하는 것이 좋습니다. 운동을 예로 들어볼까요? 기존에 흥미만 지녔던 작은 운동들을 쉽게 지속적으로 할수 있는 양으로 우선 계획을 하고 감정적인 변화가 있을 때 한번 시도해보세요. 이러한 새로운 신체 활동은 실제 스트레스 호르몬 감소와 행복감 증가에 개인의 생각보다 많은 도움이 됩니다. 본인만의 이전 일상에 없던 움직임과 경험을 이전 폭식에 의한 스트레스 해소법 대신 새로운 해결책으로 적극 활용해보세요.

또한 건강한 식습관을 새롭게 구성하였다면 앞서 언급드린 식단을 전문의료진과 참조하여 본인의 입맛에 맞는 식단으로 변형하여 좋아하는 음식을 스트레스 교정에 도움을 받을수 있게 가볍게 준비를 해보세요. 앞서 설명드린 WW 식단에서 Zero point 음식 중 본인에게 알맞은 것을 소량으로 곁에 두고 간단히 먹는 것은 과거 자극적인 음식의 폭식을 통한 해소법보다 훨씬 좋습니다.

스트레스를 받을 때 해당 방식들로 대비하는 것은 스트레스를 실제 감소시키고 또한 우리의 목표에도 벗어나지 않을수 있게 합니다. 또한 무엇보다 다수의 현대인들이 하는 명상, 요가, 심호흡 연습 등의 스트레스 관리 기술은 마음과 몸을 평화롭게 하고 스트레스를 실제 완화하는 데 도움이 됩니다.

해당 방식과 더불어 가족, 친구, 동료와 치료에 대한 소통과 연결을 반드시 해보세요. 스스로의 비만과 스트레스 관리에 도움이 됩니다. 사회적인 지지를 받으면서 서로에게 도움을 청하고 공감하는 것은 긍정적인 정서적 환경을 조성할 수 있습니다.

본인이 어느 순간에서 스트레스를 받는지 꼭 기록을 해두고, 이러한 것에 어떤 방식의 대처가 알맞았는지 본인을 알아가면서 기술을 해보세요. 위에 설명드린 것들을 활용한 다양한 조합은 스트레스로 인한 과식을 방지하고 긴 치료 기간의 정서적인 안정감을 증가시켜 유지에도 많은 도움이 될수 있습니다.

제 7장

비만 대사증후군 환자의
운동평가와 운동훈련

7장 비만-대사증후군 환자의 운동평가와 운동훈련

비만과 대사증후군의 관리에 있어서 운동은 식단만큼 중요합니다. 운동은 실제 비만인 중 당뇨 또는 대사증후군, 여러 만성질환자의 혈관성의 문제의 완화에 많은 도움을 줄수도 있습니다.

단 비만인 중 당뇨 또는 대사증후군, 여러 만성질환자의 운동의 본인 한계량을 넘는 시도들이 반복될시 문제가 발생할수 있기 때문에 해당 부분의 시작에 있어서 상세한 조사가 필요하고 이는 환자에게 맞춰 개개별로 개인화하여 적용해야 합니다.

우선적인 운동 전위험 평가는 다양한 평가 방식이 있으며 기본적으로는 PAR-Q (physical activity readiness questionnaire)를 기반으로 하여 의료진은 환자의 운동과 관련된 위험 요인을 평가가 간략하게 가능하고 환자도 무턱대고 운동을 시작하기보다 평가를 명확히 받고 시작하는게 좋습니다. 아래는 운동을 위한 사전 평가 설문지의 일부 내용을 새로운 순서로 정리를 한 것입니다.

질문번호	질문내용
1	의사로부터 권하는 운동만을 시행하라는 권고를 받은 적이 있습니까?
2	현재 고혈압이나 심장질환으로 의사의 처방을 받은 적이 있습니까?
3	운동 중에 가슴에 통증을 느끼는 경험이 있습니까? (또는 지난 한 달 동안 운동하지 않는 상태에서 가슴 통증을 경험한 적이 있습니까?)
4	운동 시 뼈나 관절에 문제가 되는 어려움이 있습니까?
5	현기증으로 균형을 잃거나 의식을 잃은 적이 있습니까?
6	운동을 해서는 안 되는 다른 이유가 있습니까?

해당 표에 해당하는 것이 있다면 무턱대고 운동을 시작할 것은 아니고 의사와 충분히 상의하에 진행이 이뤄져야 합니다.

특히 비만인 중 당뇨 또는 대사증후군, 여러 만성질환자의 몇 가지 경우에는 운동을 금해야 합니다. 안정시 100회 이상의 빈맥이 나타나거나, 저강도 활동에서 호흡곤란이나 흉부 불편감이 발생하는 경우에는 운동을 제한해야 합니다. 또한 조절되지 않는 심부전, 고혈압, 당뇨병, 심한 대동맥 협착증, 불안정한 협심증, 최근 3개월 이내에 발생한 심근경색증, 그리고 급성 감염성 열성 질환에 걸린 경우에도 운동을 피해야 합니다. 이러한 상황에서는 신중한 판단과 의사의 지도를 받아야 하며, 건강 상태에 따라 적절한 운동 계획을 수립해야 합니다.

이후 운동이 가능하다고 여겨진다면 가볍게 그리고 장기적으로 진행할수 있는 혼자서 기본적으로 생활속 혼자 할수 있는 운동을 익혀야 하며, 해당 책자에는 일반인이 누구나 쉽게 기본적으로 생활에서 행할수 있는 생활에서 간단히 할수 있는 상체, 하체, 복부의 근력 운동을 위주로 운동 교육을 구성하여 제시를 드립니다.

보통의 비만인 중 당뇨 또는 대사증후군, 여러 만성질환자에게 가장 중요한 것은 하체의 운동입니다. 운동의 경우 상체의 근력강화도 중요하지만, 충분한 하체 근력강화가 매우 중요하고, 이는 신체 근육의 60% 이상이 하체에 있기 때문입니다. 많이들 헬스장에서 쉽게 할수 있는 레그 레이즈 운동등을 포함한 하체 근력을 위주로 단련하는 것이 무엇이 도움이 될까요?

실제 이러한 해당 운동들은 해당 근육과 간의 지방을 덜어내게 되면 비만인 중 당뇨 또는 대사증후군, 여러 만성질환자에게 실제적인 문제들을 만들어낸다고 흔히 고려되고 있는 인슐린 저항성을 극복하는데 많은 도움을 줄수 있는 것으로 알려져 있습니다.

또한 유산소 운동을 곁들여, 기본적으로 생활속에서 빠른 걸음의 산책을 포함하여 주당 3회이상 30분 정도 진행합니다. 이를 통해 근육을 정기적으로 자극하는 외부환경 변화가 지속해야 하며, 이를 통해 혈액 속 당이 소비되어 자연스럽게 혈당이 낮아지게 하는 것이 시작하게 됩니다. 근력 운동이 합쳐지면서 인슐린 저항성의 근본 원인으로 여겨지는 간과 근육에 축적된 지방이 함께 사용되면 비만인 중 당뇨 또는 대사증후군, 여러 만성질환자에게 해당 호르몬들의 저항성이 있던 것에 긍정적인 변화를 가져올수 있게 됩니다.

결과적으로 고혈압이나 나쁜 콜레스테롤의 증가에서 벗어나고 기억력 감퇴, 협심증, 심근경색과 같은 비만 관련 질환의 발병률을 낮출 수 있기에 건강수명 연장에 충분히 도움을 줄 수 있습니다.

운동은 비만인 중 당뇨 또는 대사증후군, 여러 만성질환자에게 많은 즉각적인 도움들을 줄수 있습니다. 먼저, 운동은 신진대사를 활발하게 만들어 에너지를 빠르게 소모하게 합니다. 또한, 스트레스 상황에서 싸우거나 도망가는 판단을 내리는 교감신경을 자극하여 식욕을 감소시키는 효과가 있습니다. 가벼운 운동을 하면 배고픔을 덜 느끼게 됩니다. 또한 관절에 가해지는 부담을 줄여줍니다. 체중이 감소하면 무릎, 엉덩이, 발목, 등의 통증이 감소할 수 있습니다. 통증이 줄면 운동에 대한 긍정적인 동기가 생길 수 있습니다. 뿐만 아니라, 운동은 엔도르핀이라는 쾌락 호르몬의 분비를 촉진시킵니다. 엔도르핀은 통제력을 높여주어 식욕을 줄여주는데, 이는 운동을 통해 더 나은 식습관을 유지할 수 있게 도와줍니다. 무엇보다 앞에서도 함께 스트레스 관리와 언급을 하였듯이 운동은 비만 대사증후군 환자의 실제 우울감을 감소시키고 긍정적인 결정을 내리도록 도와주며, 음식을 진정제처럼 사용하지 않도록 도와줍니다.

운동에 대한 기본 가능여부 평가와 운동에 대한 인식 및 동기부여를 마쳤다면, 이젠 운동 능력을 보기위해 운동시작전의 간단한 환자 본인테스트를 간략하게 해봅니다. 운동능력과 건강 상태를 측정하는 방법은 여러 가지가 있습니다. 아래의 테스트를 통해 자신의 운동 능력을 쉽게 확인해보고 운동의 범위를 결정해보세요.

1. 심폐지구력 테스트:

18분간 최대 심박수(220에서 나이를 뺀 값의 80~85%)로 운동을 합니다. 3분 동안 최대 심박수로 운동한 후 심장박동수를 측정합니다. 운동을 멈춘 후 2분이 지나면 심박수는 66 이하로 내려가야 합니다.

2. 근력 테스트:

남성은 정상적인 팔굽혀펴기를 합니다. 여성은 무릎을 땅에 대고도 가능합니다. 서른 살 남성은 최소 35회, 여성은 45회 이상을 해야 합니다. 10년마다 5개씩 줄여가며 테스트합니다.

3. 유연성 테스트:

바닥에 앉아 다리를 앞으로 쭉 펴고 약간 벌린 상태에서 허리의 유연성을 측정합니다.손을 겹쳐 손끝을 맞춘 상태로 몸을 앞으로 숙여서 발을 향해 뻗습니다. 마흔다섯 살 이하 여성은 손이 발끝

보다 5~10센티미터 앞까지 닿아야 합니다. 이러한 테스트를 통해
운동 능력과 건강 상태를 확인하고 개선할 부분을 찾아보세요.

운동의 가동능력치를 간단하게 파악했다면 간단한 생활운동을 시
작해 봅니다.

생활운동

(1)상체운동

(1)-1 운동전에 가벼운 스트레칭과 함께 할수 있는 운동

1. 발을 모으고 똑바로 선 후, 손바닥을 마주보게 하면서 손가락이 위로 향하게 모읍니다. 체중이 고르게 분산되도록 하고, 숨을 내쉬면서 팔을 위로 들어 올립니다. 천천히 상체를 뒤로 젖히고, 팔을 머리 위로 쭉 뻗은 채로 배를 들이밀고 내민다. 목의 긴장을 푸면서 숨을 들이쉽니다.

2. 손이 발에 닿을 때까지 천천히 상체를 구부리면서 숨을 내쉽니다. 머리가 무릎에 닿을 수 있도록 노력하며, 무릎을 약간 구부리고 허리를 펴서 둥글지 않게 합니다. 목과 어깨의 힘을 빼고, 척주 스트레칭을 위해 목과 어깨 무게를 이용합니다.

3. 손과 발을 바닥에 대고 등을 곧게 만들면서 푸쉬업 자세를 취합니다.

4. 팔꿈치를 구부려 상체를 내리되 팔부터 머리까지 직선 상태를

98

유지합니다.

5. 숨을 내쉬면서 팔꿈치를 뻗는 동시에 고개를 들어 올려 최대한 뒤로 젖힙니다. 상체를 더 들어 올리고 싶다면 골반을 들어 올려 머리를 둥글게 말아 최대한 끌어당겨 머리 끝이 발 가까이에 올 수 있도록 합니다.

6. 다리를 쭉 뻗은 상태에서 척추와 일직선이 되도록 오른쪽 다리를 들어올립니다. 두 번째로 할 때는 왼쪽 다리를 들어올립니다.

7. 다시 엎드린 강아지 자세를 취한 다음 오른쪽 무릎을 앞으로 내밀어줍니다.

8. 숨을 들이쉬면서 손과 발로 지면을 지지하면서 오른쪽 발을 양손 사이에 놓습니다. 두 번째로 할 때는 반대쪽 발로 바꿔서 진행합니다.

9. 한쪽 발을 내민 상태에서 고개와 양손을 위로 들어올립니다.

10. 왼쪽으로 몸을 틀면서 오른팔은 앞쪽으로, 왼팔은 뒤쪽으로 지면과 평행하도록 쭉 뻗습니다.

11. 발을 붙여 똑바로 선 상태에서 다리를 곧게 뻗은 상태에서 허리와 상체를 구부립니다. 머리가 무릎에 닿도록 노력하고, 숨을 내쉽니다.

12. 천천히 상체를 들어올리면서 첫 번째 자세를 취합니다. 숨을 들이쉬면서 팔을 머리 위로 뻗습니다. 숨을 내쉰 다음 반대편 근육 단련을 위해 같은 동작을 반복합니다.

(1)-2 플랭크

팔꿈치와 발끝을 바닥에 대고 푸쉬업 자세를 취합니다. 이때 양
어깨 사이는 위쪽으로 밀어 올리고, 아랫배는 허리를 지지할 수
있도록 등 쪽으로 당겨야 합니다. 그 자세에서 엉덩이에 힘을 주
고 시선은 바닥에 고정시킵니다. 가능한 한 오래 그 자세를 유지
합니다. 1분 이상 버틸 수 있다면 난이도를 높여 턱을 깍지 낀 양
손을 앞으로 내렸다 올리기를 20회 반복하거나, 한쪽 발로만 균
형을 잡는 방식을 시도해보세요.

(1)-3 푸쉬업

발끝이나 무릎을 지면에 닿게 함으로써 당신에게 적합한 푸쉬업 자세를 잡습니다. 가슴이 지면에 거의 닿을 때까지 팔을 굽혔다가 편합니다. 팔꿈치를 펼 때는 등 근육이 운동될 수 있도록 등뼈를 쭉 펴고 위쪽으로 밀어 올립니다. 길고 곧게 몸을 유지할 수 있도록 뒤꿈치는 어깨로부터 가능한 한 멀리 쭉 뻗습니다.

아랫배가 늘어져 지면에 닿지 않도록 주의합니다. 아랫배에 힘을 주어 허리를 지지해주면 허리에 불필요한 무리가 가지 않습니다. 어떤 운동에서든 아랫배에 힘을 주고 있으면 복근이 강화됩니다. 허리에 통증이 느껴지기 시작하면 엉덩이를 약간 들어 올린 다음, 엉덩이에 힘을 주어 미골꼬리뼈를 유지합니다.

(2)하체운동

(2)-1 런지

런지는 어깨 넓이로 양발을 벌리고 선 후, 손을 엉덩이에 얹거나 덤벨을 들어 준비합니다. 그 후, 한 다리를 웅덩이를 건너듯이 앞으로 길게 내딛습니다. 이때 허벅지가 바닥과 평행하도록 무릎을 굽힙니다. 무릎 끝이 발가락을 넘어가지 않도록 주의합니다. 이 자세에서 잠시 머무른 후, 원래 자세로 돌아갑니다.

이제 오른쪽 다리로 같은 동작을 반복합니다. 런지 운동은 근육을 강화하고 균형을 향상시키는 데 도움이 됩니다. 균형을 유지하기 어렵다면 앞으로 내디딘 발의 발가락을 약간 안쪽으로 모아보세요. 이렇게 하면 더욱 안정적인 자세를 유지할 수 있습니다.

런지 동작 중에 허리는 빗자루를 척추에 붙인 것처럼 똑바로 세워야 합니다. 발을 계속해서 바꿔가며 할 필요는 없습니다. 한 쪽 다리로 일정 횟수를 진행한 후에 반대쪽 다리로 바꿔 동일한 횟수를 반복하면 됩니다. 이렇게 하면 무릎에 더 적은 부담이 가게 됩니다.

(2)-2 스쿼트

스쿼트를 할 때는 발을 어깨 넓이보다 약간 더 벌리고 서야 합니다. 양손에 덤벨을 들거나 어깨 높이에서 교차시켜 양팔에 얹어놓는 자세를 취합니다. 이때 등을 구부리지 말고 무릎을 허벅지가 바닥과 거의 평행이 되도록 구부립니다. 양팔은 어깨 높이로 유지하며 허리나 무릎에 통증이 느껴진다면 허벅지를 평행으로 유지할 필요는 없습니다. 가능한 지점에서 스쿼트를 진행하고 잠시 멈춘 다음 원래 자세로 돌아갑니다.

스쿼트 동작 중에는 상체가 앞으로 기울어져 어깨가 곧은 상태로 엉덩이와 일직선을 이뤄야 합니다. 숨을 들이쉬고 일어서면서 숨을 내쉬어야 합니다. 덤벨 외에도 다른 물건을 들어 저항을 높일 수 있으며, 안정성을 높이기 위해 의자나 소파 앞에서도 스쿼트를 수행할 수 있습니다. 난이도를 높이려면 가장 낮은 자세에서 천천히 30까지 세는 동안 멈추고 반복하는 것도 가능합니다.

(2)-3 올바른 자세로 계단오르기

생활속에서 가장 쉽게 만날수 있는 도구인 계단은 많은 도움이 됩니다. 계단 오르기는 계단 앞에 서서 한 쪽 발을 두 계단 정도 높이에 디딘 후, 다른 쪽 발을 올려 같은 계단에 올라가는 동작입니다. 같은 발을 20번 연속으로 사용한 다음, 다른 발로 바꿔 동작을 반복합니다. 이때, 양팔을 스프린터처럼 프로펠러처럼 이용하여 올라갑니다. 발을 내딛는 소리가 최소화되도록 노력하며, 부드러운 내딛임은 더 많은 칼로리 소비와 무릎에 가해지는 충격을 줄일 수 있습니다.

(3)복부운동

(3)-1 하늘자전거운동

바닥에 누워서 양손으로 머리를 가볍게 받쳐주세요. 양발을 들어 올린 후, 오른쪽 무릎을 굽혀 가슴 쪽으로 잡아당겨주세요. 동시에 왼쪽 어깨를 오른쪽 무릎으로 비틀어 올리면서 팔꿈치가 시야에 들어오도록 하세요. 왼쪽 무릎도 굽혀 같은 동작을 반복합니다.

발을 바꿀 때 낮은 쪽 발은 들어 올린 상태를 유지하고 있어야 합니다. 어깨가 반대편 무릎 쪽으로 향한 자세를 30초 동안 유지하고, 발을 바꿔 같은 자세로 30초를 유지합니다. 이때 아랫배에 힘을 주면서 상체를 더 올릴 수 있습니다. 난이도를 높이고 싶다면 마지막 자세를 유지하면서 쭉 뻗은 아래쪽 다리를 바닥에 닿지 않도록 유지하고, 30회 반복합니다.

근력운동은 몸집을 키우는 데 중점을 두지 않아도 됩니다. 목적은 근육의 길이를 늘려 하루에 더 많은 칼로리를 소모하고 신진대사를 촉진하는 데 있습니다. 따라서 근육을 키우는 데 초점을 맞추지 않아도 충분히 근력운동을 할 수 있습니다.

(3)-2 X 크런치

바닥에 등을 대고 누운 후 무릎을 45도 각도로 구부립니다. 팔을 머리 뒤로 엇갈리게 하고 양손을 반대편 어깨에 닿게 해서 X자가 되도록 합니다. 머리를 기대고 목의 힘을 빼는 동작도 중요합니다. 또한 턱 아래에 테니스 공을 놓는 것도 좋은 대안이 될 수 있습니다.

복근을 사용하여 바닥에서 약 30도 위로 상체를 들어올리는 크런치 동작을 수행합니다. 이때 숨을 들이쉬지 않은 상태에서 식스팩 배의 왕자 모양을 탄탄하게 유지하도록 배꼽을 오목하게 끌어당겨 복횡근을 팽팽하게 조여야 합니다. 또한 복횡근 아랫부분을 강화하기 위해 소변을 참을 때처럼 골반 근육을 조여야 합니다. 시선을 천장에 고정시킨 채 가능한 한 많이 반복한 다음, 복근 스트레칭을 위해 9번 동작을 반복합니다.

(4) 생활속 유산소 및 근력운동

앞의 근력운동과 함께 체중을 조절하고 건강을 유지하는 핵심은 꾸준한 유산소 운동 또한 매우 중요합니다. 어떤 형태의 운동이든지 자주 움직이는 것이 중요합니다. 걷기와 같은 간단한 운동도 일상생활에 자연스럽게 통합할 수 있습니다. 집 주변에서의 짧은 산책이나 계단 이용 등이 좋은 예시입니다.

걷기는 그중 가장 쉽게 할수 있는 의식적으로 해야할 운동입니다. 우리는 일상 생활에서 쇼핑, 집 근처 이동, 심지어 냉장고와 침대 사이를 오가며 걷습니다. 어떤 형태의 걷기라도 건강에 이로울 뿐만 아니라, 하루에 적어도 만보를 걷는 것이 최적의 효과를 가져옵니다. 하지만 바쁜 일정 속에서 30분을 걷기에 할애하기 어려운 경우, 세 번의 짧은 걷기도 효과적입니다. 걷기는 지구력 향상과 함께 근력 운동의 좋은 준비 운동이기도 합니다. 또한, 많은 사람들이 실제로 즐기며 쉽게 실천할 수 있는 활동 중 하나입니다. 열심히 시간이 될때마다 걸어보세요.

또한 앞에 중심적으로 설명드린 근력운동 경우 또한 최근 여러 헬스장의 보급으로 다양한 운동을 본인이 원하는 것으로 하되 어떤 근력운동이 가장 효과적일지는 기억을 해두는 것이 좋습니다. 다만 많은 사람들이 주변 근육을 강화하기 위해 이두근이나 종아리 근육에 과도한 시간을 할애하는 경향이 있습니다. 그러나 효과적인 근력운동은 위의 생활운동을 통해 서술해둔 몸의 중심을 이루는 대근육인 다리, 상체의 근육(가슴, 어깨, 등), 복근과 같은 부분에 중점을 두어야 합니다.

큰 근육을 강화하는 것이 기초 근육 강화의 핵심이며, 운동기구를 구입하지 않고도 위의 생활운동 만으로 충분히 근력운동을 할 수 있다는 것이 중요한 포인트로 시간이 될때마다 위의 방식대로 단순한 운동을 우선적으로 반복하는 것을 추천드립니다. 이러한 근력운동은 가벼운 기구나 자신의 체중을 활용하여 할 수 있기 때문에 꾸준히 생활속에서 시도를 하고, 이후 체중 감량 이후에 적절한 근력운동을 통한 잘 유지된 근육은 불필요한 체중 증가를 예방하고 건강을 지킬 수 있습니다.

제 8장
비만 대사증후군 환자의
약물치료

8장 비만-대사증후군 환자의 약물치료

약물치료의 가장 중요한 원칙은 치료의 전체 과정에서 약제 치료가 가장 먼저 우선적으로 사용되는 것은 아니라는 점 입니다. 즉 비만의 2차적인 원인이 없고, 생활적인 치료 후 3개월간 5% 이상의 변화가 없다면 고려를 시작해볼수 있다는 것입니다.

또한 체중 감량의 근본은 생활 습관 교정이 가장 중요하며, 약물치료는 비만의 기본 치료와 함께 고려되어지는 것입니다. 약물치료를 고려한다면 장기간, 단기간 적용시 안전이 보장되어있는 약제를 위주로 고려하게 되고, 이는 체질량지수와 합병증을 고려한 임상연구 결과에 근거한 국가식품의약품안전처의 허가 사항이 있는 약들로써 필요시에만 처방이 이뤄집니다.

다양한 약제들이 존재하지만 장기약제로 주로 선택이 되는 약제의 경우 크게 4가지 종류가 있으며, 이들은 FDA를 통해 장기적인 안정성이 확보된 상태입니다. 이들을 위주로 사용하는 것은 비만 자체가 장기간의 약물 치료가 필요하기 때문이며, 대규모 임상연구 결과를 토대로 안전한 결과를 얻은 해당 약제들로 구성을 해야 환자를 안전하게 장기간 치료할 수 있습니다. 하지만 이들 약제도 무조건 사용이 가능한 것은 아닙니다. 지금부터 주로 처방이 이뤄지는 다양한 약제들을 장기약제를 포함해 살펴보겠습니다.

1.올리스타트 (올리엣®, 제니칼® 등)

처방 기간: 장기 처방

작용: 지방 흡수 억제제

작용 기전: Gastric/pancreatic lipase inhibitors에 의한 효과

2.날트렉손-부프로피온 복합제 (콘트라브®)

처방 기간: 장기 처방

작용: 식욕 억제제

작용 기전: Opioid receptor antagonist

및 Norepinephrine/Dopamine reuptake inhibitors작용

3.펜터민-토피라메이트 복합제 (큐시미아®)

처방 기간: 장기 처방

작용: Sympathomimetic amine에 의한 효과, GABA 활성화 및 Glutamate 비활성화

4.리라글루티드 (삭센다®)

처방 기간: 장단기 사용 (총 12주 이내 처방 가능)

작용: GLP-1 receptor agonists에 의한 효과

5.펜터민 (디에타민®, 아디펙스®, 판베시®, 푸리민® 등)

처방 기간: 단기 사용 (총 12주 이내 처방 가능)

작용: Sympathomimetic amine에 의한 식욕 억제효과

6.펜디메트라진 (아드펜®, 펜디민®, 푸링'®)

작용: Sympathomimetic amine에 의한 효과

1) 단기간으로 처방이 승인된 식욕억제제

(펜터민, 펜디메트라진)

국내에서는 펜터민, 펜디메트라진등과 같은 식욕억제제가 단기간 처방 승인을 받고 있습니다.

여기선 해당 단기약물에 대해 우선적으로 알아보겠습니다.

이들 약물은 보통 시상하부 식욕중추의 신경 말단에서 노르에피네프린의 분비를 조절하거나 재흡수를 차단하여 식욕을 억제하는 효과가 있습니다. 12주간의 임상시험 결과에 따르면, 펜터민 군에서는 체중 감량 효과가 두드러지게 나타났으며, 주요 부작용으로는 입마름과 불면증이 보고되었습니다.

펜터민은 펜터민으로서 15, 30 mg, 펜터민염산염으로서 18.75, 37.5 mg의 형태로 제공되며, 최소 유효 용량으로 개인별로 조절할 수 있습니다. 펜디메트라진은 35 mg을 1일 2-3회 식사 1시간 전에 경구투여하며, 디에틸프로피온은 25 mg을 1일 3회 식사 1시간 전에 경구투여합니다.

이와 관련하여 고려해야 할 사항은 다양합니다. 단기간 처방으로 승인된 식욕억제제는 체중감량 요법에 반응하지 않는 초기 체질량지수(BMI)가 30 kg/m2 이상, 또는 다른 위험 인자(고혈압, 당뇨병, 이상지혈증)가 있는 BMI 27 kg/m2 이상인 비만 환자를 대상으로 합니다. 이들은 암페타민류와 화학적, 약리학적으로 연관되어 있어 의존성이나 내성 발생 가능성이 있으므로 마약류 관리법에 의해 향정신성 의약품으로 지정되어 있습니다. 또한, 이들 식욕억제제는 단기간 동안만 사용이 승인되어 있으나 비만은 단기간에 치료되지 않는 만성적 질환이므로 장기적인 치료 계획이 반드시 필요하니 전문적인 의료진과 상의후 치료를 결정해야 합니다.

약의 처방 용법은 다음과 같습니다. 초기에는 가능한 최소한의 양을 처방하되, 개인의 반응에 따라 조절합니다. 약물을 중단할 때에는 단기간 사용이 승인된 약제들로 인해 한 번에 처방 가능한 일수가 최대 28일로 제한되어 있습니다. 향정신성 식욕억제제를 고용량으로 오랫동안 투여한 후 갑자기 중단하면 극도의 피로, 우울증, 그리고 수면 중 뇌전도 (EEG)의 변화가 발생할 수 있으므로 주의가 필요합니다. 정신적인 의존성이 나타날 경우 담당 의료진과 상담후 점진적으로 투약을 중지해야 합니다. 치료 반응평가는 첫 4주 이내에 만족할 만한 체중 감량이 있었을 경우 최대 3개월까지 계속해서 사용 가능합니다.

(1)펜터민

(펜터민으로서 15, 30 mg, 펜터민염산염으로서 18.75, 37.5 mg)

펜터민(Phentermine)은 단기간 사용하는 비만치료제로, 보통 시상하부 식욕중추의 신경 말단에서 노르에피네프린의 분비를 조절하거나 재흡수를 차단하여 식욕을 억제하는 효과가 있습니다. 이로써 뇌에서 배고픔을 덜 느끼게 하거나 포만감을 증가시키는 신경전달물질의 작용을 증가시켜 식욕을 억제합니다. 그러나 오용이나 남용 시 심각한 위험이 있어 향정신성의약품으로 분류되어 있으며, 다른 식욕억제제와 병용하지 않고 단독으로만 투여해야 합니다.

푸리민®(Phentermine)과 아디펙스®(Adipex) 등의 제품이 있으며, 최소 유효 용량을 사용하여 적절한 효과를 얻을 수 있도록 개인별로 조정되어야 합니다. 성인의 경우, 1일 1회 37.5 mg을 아침 식전 혹은 아침 식후 1~2시간 후에 경구투여합니다.

이 약물은 단기간(4주 이내)만 투여해야 하지만, 첫 4주 이내에 만족할 만큼 체중이 감소된 경우(최소 1.8 kg 이상 체중감량이 있거나 의사와 환자 모두 만족할 만한 체중감량이 있다고 판단하였을 때)에는 투여를 지속할 수 있습니다.

불면을 일으킬 가능성이 있으므로 늦은 밤에는 복용을 피해야 합니다. 이러한 지시에 따라 정확한 용법으로 사용하는 것이 중요하며, 의사의 지시에 따라 적절히 투여해야 합니다. 또한 약물 사용 중에는 부작용이나 알레르기 반응에 대해 주의해야 하며, 의사와의 상담을 통해 적절한 관리가 필요합니다.

환자와 의료진 모두 해당 약제의 부작용에 대해선 잘 알아야 합니다. 우선은 심혈관계, 중추신경계, 소화기계, 과민반응, 비뇨생식기계에 다양한 부작용을 일으킬 수 있습니다. 이를테면 심혈관계 부작용으로는 원발성 폐동맥 고혈압, 역류성 판막심장병, 두근거림, 빈맥, 혈압 상승이 있으며, 중추신경계 부작용으로는 과자극 작용, 불안감, 어지럼, 불면증, 불쾌감, 도취감, 진전 두통 등이 나타날 수 있습니다. 소화기계 부작용으로는 구갈, 불쾌한 맛, 설사, 변비, 기타 위장관 장애가 나타날 수 있습니다. 과민반응으로 두드러기 또한 나타날 수 있고, 비뇨생식기계 부작용으로 발기부전, 성적 충동 변화가 나타날 수 있습니다.

즉 부작용과 해당 약제의 작용 방식을 함께 이해해볼 때 이러한 펜터민이 특정한 환자군에서 사용이 제한되어 있다는 것을 이해할수 있습니다.

심혈관계의 문제의 경우 특히 그러하며, 진행된 동맥경화증 환자, 심혈관계 질환 환자, 중등도에서 중증의 고혈압 환자, 폐동맥 고혈압 환자, 갑상샘 항진 환자, 녹내장 환자에서는 사용을 피해야 합니다. 또한 정신적으로 매우 불안하거나 흥분 상태에 있는 환자, 약물남용의 병력이 있는 환자, MAO 억제제를 복용 중이거나 복용 후 14일이 경과하지 않은 환자, 16세 이하의 소아에서의 사용 또한 피해야 합니다.

(2)펜디메트라진 (35 mg)

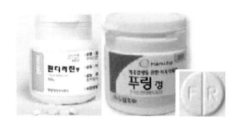

펜디메트라진은 또 다른 식욕억제제로서, 신경 말단에서 도파민과 노르에피네프린의 분비를 자극하고 재흡수를 억제하여 해당 농도를 높이면서 작용합니다. 비만환자에게는 체중감량의 보조요법으로 단기간 사용됩니다. 이 약제는 뇌에서 배고픔을 덜 느끼게 하거나 포만감을 증가시키는 신경전달물질의 작용을 증가시켜 식욕을 억제합니다. 그러나 오용이나 남용 시 심각한 위험이 있어 향정신성의약품으로 분류됩니다.

펜디메트라진은 펜터민과 비슷한 기전으로 작용하여 식욕을 억제하지만, 효과는 상대적으로 약하고 부작용이 낮은 편입니다. 성인은 1회 35 mg을 1일 2~3회 식사 1시간 전에 복용하며, 일부 환자에게는 1일 1회 17.5 mg이 적절할 수도 있습니다. 용량은 1회 70 mg을 초과하여 복용해서는 안 됩니다. 단기간(4주 이내)만 투여해야 하지만, 첫 4주 이내에 만족할 만큼 체중이 감소된 경우 (최소 1.8 kg 이상 체중 감량이 있거나 의사와 환자 모두 만족할 만한 체중감량이 있다고 판단하였을 때)에는 투여를 지속할 수 있습니다.

이 약물은 다른 식욕억제제와 병용하지 않고 단독으로만 투여해야 합니다. 또한 원발성 폐동맥 고혈압의 초기 증상이 나타날 경우 전문가와 상의하여 투여를 중단해야 하며, 장기 투여, 권장용량 이상 투여, 다른 식욕억제제와 병용 시 판막심장병의 위험을 고려해야 합니다. 이러한 지침에 따라 안전하고 효과적으로 사용할 수 있도록 주의가 필요합니다.

부작용에 대해선 환자와 의료진은 좀더 상세하게 알아야 합니다. 심혈관계, 중추신경계, 소화기계, 비뇨생식기계 등에서 부작용이 나타날 수 있습니다. 예를 들어, 심혈관계 부작용으로는 두근거림, 빈맥, 혈압 상승이 있으며, 중추신경계 부작용으로는 과자극 작용, 불안감, 어지럼, 불면증, 진전, 도취감, 두통, 드물게 권장 용량에서 정신장애, 흥분, 홍조, 발한 시야 흐림 등이 나타날 수 있습니다. 소화기계 부작용으로는 구갈, 불쾌감, 설사, 변비, 기타 소화기 장애가 나타날 수 있으며, 비뇨생식기계 부작용으로는 성적 충동의 변호, 빈뇨, 요결핍, 발기부전이 나타날 수 있습니다. 과민반응으로 또한 두드러기가 나타날 수 있습니다.

실제 펜디메트라진 또한 일부 특정 환자군에서 사용이 제한되어 있습니다. 해당 약제 또한 펜터민과 유사한 작용을 보이기에 부작용과 해당 약제의 작용 방식을 함께 이해해볼 때 이러한 유사한 주의사항이 있음을 이해할수 있습니다.

특히 펜터민과 유사하게 심혈관계 질환자에서도 유의해야 합니다. 즉 진행된 동맥경화증 환자, 증후성 심혈관계 질환 환자, 중등도에서 중증의 고혈압 환자, 폐동맥 고혈압 환자를 포함한 중등도에서 중증의 고혈압 환자, 갑상샘 항진 환자, 녹내장 환자에선 해당 약제의 사용을 피해야 합니다. 또한 정신적으로 매우 불안하거나 흥분 상태에 있는 환자, 약물남용의 병력이 있는 환자, 다른 중추신경계 흥분제를 복용하고 있는 환자 또는 MAO 억제제 복용후 14일 경과하지 않은 환자, 심장잡음 또는 판막심장병이 있는 환자, 16세 이하의 소아도 피해야할 대상자에 포함됩니다.

해당약제의 경우 구아네티딘과 병용 투여 시 혈압 강하 효과를 저하시킬 수 있으며, 알코올과 병용 투여 시 유해한 약물 상호작용이 나타날 수 있음을 유념해야 합니다.

(3)단기약제들의 공통적인 다양한 부작용

해당 공통적인 부작용을 고려하여 약제 복용시 전문의와 꼭 진료 후 치료를 결정해야 합니다. 이들은 추가적으로 다음과 같은 주의해야할 주의사항이 있습니다.

(1)원발성 폐동맥 고혈압 (Primary pulmonary hypertension, PPH)에 대한 관련 주의사항으로, 펜디메트라진, 디에틸프로피온 등의 식욕억제제와 관련된 위험성이 있습니다. 특히 3개월 이상의 식욕억제제 투여는 폐동맥 고혈압 위험을 증가시키며, 초기 증상으로는 호흡곤란, 협심증, 실신, 하지부종, 운동 내성 저하 등이 나타날 수 있습니다. 해당 증상이 나타나면 즉시 의사에게 보고하고 약물 투여를 중단해야 합니다.

(2)판막심장병 (Valvular heart disease)과의 관련성에 대해서는 펜플루라민, 덱스플루라민과 같은 세로토닌 수용체에 작용하는 식욕억제제와의 연관이 언급되었습니다. 단기간 처방이 승인된 경우에는 판막심장병의 가능성은 낮지만, 장기간 투여, 권장용량 초과, 다른 식욕억제제와의 병용은 주의가 필요한 요소입니다.

(3)당뇨병 환자의 경우는 당뇨병 관리에 영향을 줄 수 있으므로,

이 약을 투여할 경우 인슐린 투여량을 조절해야 합니다. 경증의 심혈관질환이나 중등도의 고혈압 환자에게는 정기적인 심혈관 기능 및 혈압 관찰이 필요하며, 향정신성 식욕억제제의 장기간 투여로 인한 의존성 및 약물남용, 정신병 발생 가능성에 대한 주의사항이 명시되어 있습니다.

즉 사용 추천 환자군으로는 심뇌혈관계 질환과 정신질환의 과거력이 없는 건강하고 젊은 비만 환자가 주가 되는 점을 알아야 합니다. 상기 해당 내용들을 참고하며 주의가 이뤄지는 상황에서 단기 치료제를 통한 치료가 이뤄져야 하며, 환자도 본인의 복용약제에 대해 더욱 상세하게 이해하고 있어야 합니다.

2) FDA 장기간 처방이 승인된 식욕억제제

(1)콘트라브 제재 (날트렉손-부프로피온복합제)

해당 콘트라브의 작용 기전 및 효과에 대해 설명하면, 부프로피온이 도파민 재흡수를 억제하여 시상하부 POMC 뉴론에 작용하여 식욕억제 효과를 나타냅니다. 이후 날트렉손이 식욕 중추의 자가억제를 차단하여 부프로피온의 식욕억제 효과를 지속적으로 강화시킵니다. 또한, 날트렉손과 부프로피온은 뇌의 보상 중추에 작용하여 음식에 대한 탐닉(식탐)을 억제하며, 56주 처방 시 8~11%의 체중 감량 효과가 있습니다.

해당 약물의 예시 제형은 날트렉손-부프로피온 복합제로 콘트라브®(Contrave)가 있으며, 사용 용량은 8 mg/90 mg 입니다.

처방 전 고려사항으로는 약물의 금기증을 면밀히 확인하고, 18세 이하의 소아청소년에는 투여하지 않으며, 65세 이상 고령자는 신중 투여해야 하며, 75세 이상 고령자에는 금기사항이 있습니다. 또한, 임부(FDA category: X), 임신 가능성이 있는 여성, 수유부에는 투여가 금기되어 있습니다.

약물의 처방 용법은 분할하거나 씹지 않고 그대로 삼키며, 오심/구토가 심한 경우 음식물과 함께 복용하는 것이 권장됩니다. 고지방 식사는 피하고, 복용을 잊었을 경우 추가로 복용하지 말고, 평소 복용 일정에 따라 다음 정제를 복용하는 것이 권장됩니다.

약물의 용량 조절 방법은 권장 시작용량부터 충분한 식욕 억제가 이루어질 때까지 4주 동안 증량하는데, 식사량과 섭취 칼로리가 목표 수준에 도달하면 증량 없이 유지하는 것이 좋습니다. 치료 반응평가는 유지용량 도달 후 12주 이내에 초기 체중의 5% 이상이 감량되지 않을 경우를 무반응 기준으로 삼고, 해당 경우에는 다른 비만 약제로 전환되야 합니다.

부작용은 주로 오심, 변비, 두통, 구토, 어지러움, 수면장애, 입마름, 설사 등이 있으며, 이에 대한 대처법으로는 약물 적응 기간을 지켜서 점차 증량하고, 부작용이 나타날 경우 전 단계로 감량하는 것이 효과적입니다.

특별한 주의가 필요한 사항으로는 가임기 여성은 피임이 필요하며, 임신 중에 사용해서는 안 되며, 발작의 발생 가능성, 혈압 및 심박수의 관찰이 필요합니다. 약물에 대한 반응이 없을 시에는 식욕, 식사량, 식사 행태를 면밀히 관찰하여 약물 복용 전후의 차이를 확인하고, 필요 시 타 약물로 변경하는 것이 권장됩니다. 약물 상호작용에 대한 주의사항으로는 MAO 억제제와의 병용 금기, 아편계 약물 의존자 및 급성 아편 금단증상 환자에게는 투여가 금기되며, CYP2D6에 대사되는 약물과의 병용 시 주의가 필요합니다.

사용을 추천하는 환자로는 탄수화물 중독, 간식 섭취가 잦은 환자, 우울감 또는 기분장애가 동반된 환자, 기분장애 및 스트레스로 식욕이 증가된 환자, 갱년기 여성, 습관적인 음주가 잦은 환자 등이 있습니다. 단 자살충동이나 과거력이 있는 사람에게는 사용하지 말아야 합니다. 처방 예시로는 용량 조절을 오전 1정으로 시작하여 매주 1정씩 증량하고, 증량 속도와 유지용량은 체중 감량 속도나 부작용에 따라 개별적으로 조절하는 것이 좋습니다. 복용은 오전, 오후 동일한 시간대에, 식전 30분~1시간에 하며, 부작용 교육 시에는 초기에 발생하는 오심, 구토 증상은 식사 후 복용하도록 권고하고, 필요 시 위장관 약물을 함께 처방하는 것이 고려됩니다. 불면증이 발생할 수 있으므로 오전 복용부터 시작하여 조절하는 것이 도움이 됩니다.

(2)GLP-1 유도체 제재 (리라글루티드, 삭센다)

리라글루티드는 GLP-1 유도체로, GLP-1 수용체에 작용하여 인슐린 분비를 자극합니다. 이로써 혈장의 글루카곤 농도가 감소하고 위의 배출시간이 지연되며, 식욕억제와 포만감이 증가합니다. 이 약은 빅토자와 동일한 성분을 사용하며 고용량으로 비만 치료에 사용됩니다. 2018년에 국내 출시되었고, 1년 후의 체중 감량 효과는 8.4 kg로, 5% 이상의 체중 감량에 성공한 비율은 63.2%로 나타났습니다. 또한, 약물의 제형은 삭센다펜주로 6 mg/mL, 3 mL/펜입니다.

약물 처방전 고려사항으로는 금기증 확인, 주사제 사용 시 환자 교육 및 순응도 확인, 그리고 보관 방법이 있습니다. 처방 용법은 피하주사로 하루 1회, 초기 시작용량은 0.6 mg에서 시작하여 1주일마다 증량하여 3.0 mg까지 유지됩니다.

치료 반응은 3 mg 유지용량으로 12주 투여 후 초기 체중의 5% 이상이 감량되지 않을 경우 무반응으로 판단하며, 이 경우 다른 비만 치료로 전환해야 합니다. 부작용으로는 위장관 장애가 흔하게 나타나며, 저혈당, 췌장염 등이 발생할 수 있습니다. 이에 대한 대처 방법과 주의사항이 명시되어 있습니다.

약물 상호작용:

리라글루티드는 Cytochrome P450 및 혈장 단백 결합과 관련된 다른 성분들과의 약동학적 상호작용이 낮을 것으로 예상됩니다. 따라서, 다른 약물들과의 상호작용에 있어서는 주의가 필요하지 않을 수 있습니다.

특히, 위배출시간이 지연되는 특성에 따라서 와파린이나 쿠마린 유도체를 복용 중인 환자는 리라글루티드를 시작할 때 INR을 더 자주 모니터해야 합니다. 그러나 다른 일반적인 약물들인 파라세타몰, 아토르바스타틴, 그리세오풀빈, 디곡신, 리시노프릴, 경구피임제의 용량 조절은 필요하지 않을 것으로 기술되어 있습니다.

부작용 및 대처:

부작용으로는 주로 위장관 장애가 나타나며, 가장 흔한 부작용으로는 오심, 구토, 설사, 변비 등이 있습니다. 상대적으로 흔한 부작용으로는 저혈당, 불면증, 현기증, 미각 이상, 목마름, 소화불량, 위염, 위식도 역류병, 상복부 통증, 복부 팽만, 트림, 담석증, 무력증, 피로, 주사 부위 반응 등이 있습니다. 드물게 나타나는 부작용으로는 탈수, 빈맥, 췌장염, 담낭염, 위배출 지연, 권태, 급성신부전, 신장애 등이 있습니다.

대처 방법으로는 오심과 구토는 투약 초기나 용량 증량 초기에 나타나지만 대부분 수일 내에 호전될 것으로 예상되며, 과식을 피하고 불쾌한 냄새나 음식을 피하는 등의 교육이 필요합니다. 이에 대한 교육도 환자에게 필요합니다. 또한 저혈당의 경우에는 당뇨병약을 복용 중인 경우 인슐린이나 인슐린 분비 촉진제의 감량을 고려해야 하며, 췌장염의 경우에는 특징적인 증상에 대한 사전 교육이 필요하며, 확진 시에는 리라글루티드를 다시 시작하지 말아야 합니다.

이와 같이 상호작용과 부작용에 대한 상세한 정보를 고려하여 환자에게 제대로 된 정보와 교육을 제공해야 합니다.

(3)큐시미아 제재 (펜터민-토피라메이트)

해당 약제는 펜터민과 토피라메이트 두 복합제로 이뤄진 비만 치료를 위한 약물로, 각각 식욕 억제와 에너지 소비 증가를 통해 체중 감량 효과를 나타냅니다. 펜터민은 시상하부를 자극하여 노르에피네프린을 분비하여 식욕을 감소시키고 음식 섭취를 감소시킵니다. 토피라메이트는 GABA 수용체 자극과 glutamate 수용체 길항작용을 통해 식욕 억제와 포만감 증가를 유발합니다.

이 약물은 장기간 사용 가능한 비만약으로, 서방정으로 제공되며 다양한 용량이 존재합니다. 처방 고려 시에는 환자의 심혈관질환 과거력, 동반 질환, 약물 복용력, 임신 여부, 수유 여부, 간기능, 신기능, 전해질 이상 등을 확인해야 합니다.

약물 처방 용법은 아침에 복용을 권고하며, 초기 시작용량부터 유지용량까지 단계적으로 조절됩니다. 처방 및 추적 기간 동안 환자의 반응을 주기적으로 모니터링해야 하며, 부작용에 대한 대처 방법은 정확한 의사 지시를 따라야 합니다.

부작용으로는 입마름, 감각 이상, 어지러움, 미각 이상, 불면증, 변비, 두통, 구역, 설사 등이 있습니다. 금기증 및 약물 상호작용, 부작용에 대한 대처 방법은 정확한 의사 지시에 따라야 합니다.

체중 감량 효과: 1년까지 체중 감량 효과가 크게 나타나며, 이후 2년까지 감량된 체중을 유지할 수 있음을 확인하였습니다.

약물 예시 제형:

성분명: 펜터민/토피라메이트 서방정

상품명: 큐시미아® (Qsymia)

사용 용량:

3.75 mg 펜터민/23.0 mg 토피라메이트 서방정 (1일 1회)

7.5 mg 펜터민/46.0 mg 토피라메이트 서방정 (1일 1회)

11.25 mg 펜터민/69.0 mg 토피라메이트 서방정 (1일 1회)

15.0 mg 펜터민/92.0 mg 토피라메이트 서방정 (1일 1회)

약물 처방전 고려사항: 진찰 시에는 심혈관질환 과거력, 동반 질환, 증상, 약물 복용력, 임신 여부, 수유 여부, 간기능, 신기능, 전해질 이상 등을 조사하여 약물 금기증 여부를 확인합니다.

약의 처방 용법으로 보통의 복용 권고는 아침에 하도록 합니다. 늦은 저녁에의 복용은 피하도록 권장됩니다. 초기 시작용량은 3.75mg/23 mg을 매일 14일간 복용합니다. 유지용량은 권장량인 7.5mg/46 mg을 12주간 복용합니다. 12주 유지용량 사용 후, 체중 감량 효과를 확인하며, 3% 이상 체중 감량이 있으면 유지용량으로 투약을 계속하고, 3% 미만이면 투약을 중지하거나 증량을 고려합니다.

복용을 증량하는 경우 처음 14일 동안에는 11.25mg/69mg 용량을 하루에 한 번 복용하시고, 그 다음 12주 동안에는 15mg/92 mg 용량을 하루에 한 번 복용하셔야 합니다. 이렇게 12주 동안 15mg/92mg을 복용한 후에는 체중 감량 효과를 확인하게 됩니다. 만약 최초 투여 시점 대비 체중이 5% 이상 감량되지 않았다면, 복용을 중단해야 합니다.

해당 약제의 갑작스러운 복용 중단은 발작을 일으킬 가능성이 있기 때문에 완전한 중단 전에 적어도 1주일 동안은 하루에 한 번 15 mg/92 mg 용량을 점차적으로 줄여가며 복용하셔야 합니다.

또한 약물 투여를 빠뜨린 경우: 복용 시간을 놓친 경우, 다음날 오전 복용 시간까지 기다렸다가 복용하던 용량을 복용하셔야 합니다.

또한 진료를 하면서 모니터링을 하는 지표로 처방 후 첫 4주 동안 주간으로 체중, 혈압, 심박동수를 측정하시고 이후 3~4개월 동안은 월간으로 체중, 혈압, 심박동수를 측정하셔야 합니다. 혈당, 혈청 전해질(칼륨, 중탄산염 등) 및 크레아티닌은 처방 전과 치료 중에 정기적으로 검사받아야 합니다. 자살 경향, 기분장애, 이차성 폐쇄각녹내장의 증상, 급성 산증의 증상, 그리고 장기간 산증으로 인한 합병증(예: 신장 결석)에 대한 증상도 주시해야 합니다

부작용

가장 흔한 부작용에는 입마름, 감각이상, 어지러움, 미각이상, 불면증, 변비, 두통, 구역, 설사 등이 나타날 수 있습니다. 또한 비교적 흔한 부작용엔 심박동수 증가, 우울, 불안 등 정신과적 증상과 인지장애는 용량이 증가할수록 증가할 수 있습니다. 드문 부작용으로 혈청 중탄산염 및 칼륨 감소, 혈청 크레아티닌 증가, 그리고 요로결석 등이 발생할 수 있습니다. 시판 후 및/또는 증례보고엔 급성 폐쇄각녹내장, 안압 상승, 자살 충동과 같은 중대한 부작용에 대해서는 주의가 필요합니다.

(4) 올리스탯정

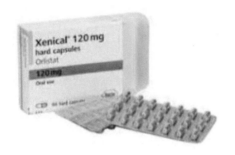

해당 약제는 위와 소장의 점막에서 작용하여 리파아제 (lipase)를 억제합니다. 이로써 중성지방이 지방산으로 분해되어 장관 내로의 흡수가 차단되어 체중 감량 효과를 나타냅니다. 더불어 장관 내 중성지방의 흡수를 약 30% 정도 억제하여 체중 감량과 함께 여러 대사 상태를 개선합니다.

즉 사용 추천 환자군은 고혈압, 이상지혈증, 혈당 상승, 비알코올 지방간 질환 등 대사 위험을 동반한 비만 환자와 고지방 식사를 선호하는 환자에게 추천할수 있습니다.

1년 동안의 복용으로 초기 체중의 평균 5.6%에서 9.6%까지의 감량 효과를 보이며, 4년간의 복용에서도 위약군에 비해 유의한 체중 감소가 계속 유지됩니다. 이외에도 인슐린 저항성을 개선하고, 혈당, LDL 콜레스테롤, 혈압을 감소시키며, 4년간의 복용 시 당뇨병 진행을 37% 감소시킵니다.

약물의 예시 제형은 다음과 같습니다:

올리스타트:

리피다운®(Lipidown) 120/60 mg tid

올리다운®(Olidown) 120/60 mg tid

올리엣®(Oliet) 120/60 mg tid

제니칼(xenical): 제니칼®(Xenical) 120 mg tid

제로다운®(Zerodown): 60 mg tid

제로어스®(Zero X): 120/60 mg tid

제로팻®(Zerofat): 120 mg tid

약물 처방전 고려사항에 대해, 우선 약물의 금기증 여부를 확인하고, 특히 다른 약물과의 상호작용이 예상되는 환자에게는 주의가 필요합니다. 이어서 약의 처방 용법에 관해서는 체중 감량 효과가 용량에 의존적이므로 충분한 용량을 계속 투여하는 것이 권장되며, 특히 120 mg를 하루 세 번 경구투여하는 것이 일반적입니다.

환자의 식사 횟수에 따라 투여 횟수를 조절할 수 있습니다.

또한 식사와 함께 혹은 식사 직후에서 1시간 이내에 복용하도록 권고되며, 약물 중단이나 재투여를 위한 용량 조절은 필요하지 않습니다. 지용성 비타민의 흡수 감소를 우려하여 지용성 비타민 함유 복합 비타민제를 올리스타트 복용과 2시간의 간격을 두고 복용하는 것이 권장됩니다. 미국 식품의약국(FDA)에서는 4년을 초과하는 기간에 대한 유효성 및 안전성 평가가 이루어지지 않았으나, 소아청소년에서는 12세 이상에서 사용 가능하다고 합니다.

해당 약제는 약물 상호작용 측면에서는 다른 약제와의 상호작용이 미미한 편이며, 비타민K의 흡수가 감소될 수 있어 와파린을 장기간 복용 중인 환자는 혈액응고 수치의 모니터링이 필요하며, Amiodarone이나 cyclosporin의 효과를 감소시킬 수 있습니다. 또한 지용성 비타민의 흡수를 감소시킬 수 있음을 주의해야 합니다.

부작용의 경우 늘 유념해야 하며 먼저 부작용으로 지방 변화, 대변실 금, 장불편감, 복부 팽만, 방귀, 복통 등 위장관계 부작용이 나타날 수 있습니다. 실제 해당 부작용으로 환자는 심한 약제 거부를 보일수도 있습니다. 또한 드문 부작용으로는 간 손상, 담석증, 고수산뇨증, 췌장염, 과민반응이 있습니다. 금기증으로 만성 흡수불량 증후군 또는 담즙 분비 정지 환자, 약의 성분에 과민반응이 있는 환자, 그리고 임신부나 임신 가능성이 있는 여성 및 수유부가 해당됩니다.

3) 비만의 보조요법

전통적인 비만 치료 방법으로는 행동요법, 운동요법, 식사요법, 약물요법, 그리고 수술요법이 있으며, 이러한 치료들을 병행하여 다양한 접근이 이루어지고 있습니다. 최근 비만의 보조 치료로 영양 치료가 환자의 비만 관리에 도움이 되어 개별 클리닉에서 많은 적용이 이뤄지고 있는 점이 있어 이해를 위해 해당 내용을 함께 작성합니다. 보조제들은 꼭 필요한 것은 아니며, 명확한 연구가 더 필요한 경우도 있으니 권하지는 않습니다. 다만 실제 다양한 의료기관에서 해당제재들이 사용이 될시엔 환자의 신장수치, 간수치등을 포함하는 개별 환자의 여러 상태에 대한 확인이 우선적으로 이뤄져야 합니다.

(1)비타민 B (vitamin B), 리포산 (lipoic acid)

비타민 B 및 리포산 (lipoic acid)는 해당 제재들의 경우 에너지 생성기관인 미토콘드리아 기능 강화를 지원하는 보조제라는 개념으로 주로 사용됩니다. 비타민 B는 에너지 흐름에 유용한 보조제로, B계열 비타민은 acetyl-CoA 합성에 중요한 매개인자로 작용합니다. 직접적인 체중감소 효과는 확인되지 않지만, 체중 감량의 과정에서 발생하는 피로의 예방등에 도움이 될 수 있다고 알려져 있는데 이는 해당 요소가 세포에서 사용하는 에너지 인자인 ATP 형성에 관여하기 때문으로 보통 설명합니다. 즉 이러한 이유로 마그네슘, 비타민B, 망간, 리포산등의 요소들 모두 에너지 생성 사이클의 흐름과 관련된 인자들이기에 해당 인자들을 함께 처방되는 경우들이 있을수 있으나 무조건적인 사용은 권하지 않습니다.

이러한 비타민 B 복합체와 리포산의 복합 섭취, 그리고 정맥주사로 마그네슘을 투여하는 것의 적용되는 조합이 여러 사설 의료기관들에서 사용중이나, 이러한 보조제가 비만 치료 중 발생할 수 있는 피로 및 호르몬 불균형을 반드시 예방한다 말하기 어렵습니다. 또한 해당 보조제를 적용하기 이전에 실제 환자에게 피로를 유발할 원인을 먼저 파악하는 것이 더 중요합니다. 그리고 환자의 생활 조절 및 교육없이 해당 인자들을 비만치료의 피로를 해결하기 위한 해결책으로 잦은 적용을 하는 것은 권하지 않습니다.

(2)마그네슘

마그네슘은 호르몬 감수성 리파제를 활성형으로 전환시켜 축적된 지방을 산화시키는 데도 역할을 함께 한다고 알려져 다양한 클리닉에서 사용되고 있기도 합니다. 또한 실제 ATP를 합성하는 TCA 회로에서는 비타민 B계열뿐만 아니라 마그네슘도 중요한 역할을 하는 것으로 알려져 있습니다. 이러한 연유로 해당 제재 또한 에너지 보조제의 개념으로 함께 사용이 되나, 해당 제재의 적용시 환자의 신장수치 및 기본 마그네슘 수치를 반드시 파악해야 하고 신장기능에 많은 이상이 있다면 사용 자체를 반드시 금합니다.

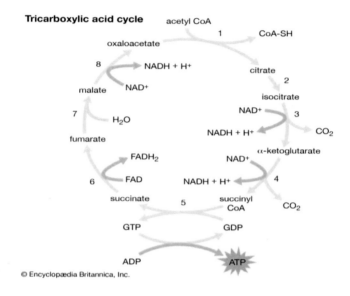

Tricarboxylic acid cycle

© Encyclopædia Britannica, Inc.

(3)코엔자임 Q10

코엔자임 Q10은 마찬가지로 미토콘드리아의 전자전달계에서 중요한 역할을 하는 요소로 함께 작용하는 것으로 알려져 있으며, 이러한 이유로 결국 에너지 흐름에 관여하기에 유사한 목적으로 사용되기도 합니다. 즉 보통의 사설 의료기관들에서 코엔자임 Q10을 체중 감량 과정에서 발생하는 피로와 같은 증상이 나타날 경우에 보조적으로 활용하고 있기도 합니다.

또한 비만 환자 중에선 특히 이상지질약제인 스타틴을 복용하는 경우가 있을수 있는데, 이럴 경우 해당 약제로 인한 코엔자임 Q10 합성 억제가 가능해져 추가적으로 해당 코엔자임 제재를 복용케하는 경우도 있습니다. 이러한 연유로 해당 환자들에게 코엔자임 Q10 합성 억제등과 함께 설명하며 피로 등의 해결책으로 설명 및 적용이 클리닉들에서 이뤄지기도 하나 이 또한 무조건적인 사용은 권하지 않습니다.

(4)알기닌 주사

알기닌은 체내에서 Nitric oxide로 전환되는 것으로 알려져 있으며 해당 Nitric oxide 는 미토콘드리아의 생합성을 증가시킵니다. 또한 지방산 산화 등 다양한 대사적인 이익이 있다고 알려져 해당 알기닌 주사을 보조적으로 사설 의료기관에서 매주 정맥주사로도 적용하는 경우도 있습니다. 그러나 알기닌은 아직까진 직접적으로 체중 감량에 대한 효과를 입증한 연구 결과가 부족하며 이러한 이유로 해당 목적을 위해선 권하진 않습니다. 또한 이러한 처방이 이뤄지는 클리닉에선 적용전 환자의 우선적인 상태에 기본적인 검사가 반드시 있어야 합니다.

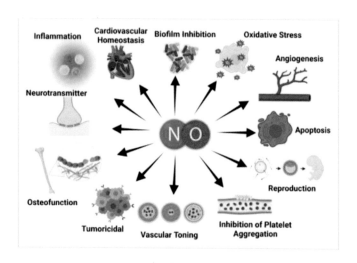

(5)카테킨 & 카페인

카테킨은 주로 녹차에 들어 있으며, norepinephrine (NE) 분해 효소인 GOMT를 억제하고, 커피등의 음료에 포함된 카페인은 phosphodiesterase를 억제하여 영향을 주는 것으로 알려져 있습니다.

두 인자 모두 NE의 증가로 이어지게 되는데 이로 인하여 이론적으로는 포만감 증가와 에너지 소비 증가와 관련이 있을 수 있기에 여러 사설 클리닉 및 의료기관들에서 적용이 이루지기도 합니다. 그러나 이전의 여러 관련 연구들은 다양한 결과를 보였기에 명확히 체중감량 목적으로 해당약제를 적극 권하지 않습니다.

(6)공액리놀렌산(Conjugated Linoleic Acid, CLA)

공액리놀렌산은 지방대사를 조절하는 효소에 작용하여 지방세포의 크기를 줄여 체중을 감소시킨다고 알려져 있습니다. 그러나 1 kg 미만의 체중 감소를 보인 메타분석 결과도 있기에 큰 효과가 없을 수 있으며, CLA 제제를 이용한 무작위 배정 임상시험에서는 체중 감량 효과가 위약 대비 좋은 효과를 보이지 못하였기에 해당 체중감량 목적으로 해당약제를 적극 권하지 않습니다.

(7)엘 카르니틴(L-Carnitine)

엘 카르니틴은 아미노산(Lysine, Methionine)과 비타민(B, C)을 이용하여 간과 신장에서 합성되는 영양소로, 긴사슬 지방산을 미토콘드리아 내막으로 이동시키는데 도움을 주는 것으로 알려져 있습니다. 실제 일부 메타분석에서는 체중 감량에 효과를 보인 결과도 있으나 해당 약제를 무조건적으로 기존 치료약제와 함께 권하기보단, 규칙적인 기초운동의 강화를 기존 치료약제와 함께 적용할 것을 우선적으로 권해드립니다.

(8)잔티젠(Xanthigen)

잔티젠은 백색지방의 갈색지방화를 돕는다고 알려져 있고, 열생산을 촉진하여 에너지 소비를 증가시킨다고 알려져 있습니다. 이러한 이유로 클리닉등을 통해 해당 잔티젠 600 mg/day 정도가 처방되는 경우가 있습니다. 최근 실제 백색지방의 갈색지방화는 베이지색 지방으로 최근 이름이 알려지고 있고, 이는 갈색지방과 같이 대사율을 올리고 체내 열발생과 관련된 지방조직이기에 단순한 중성지방을 저장하는 백색지방보다 해당 지방화가 비만 조절에 의미가 있는 변화라고 알려져 있습니다. 그러나 이러한 변화와 관련하여선 추운 환경, 정기적인 유산소운동이 더욱 강조되고 있으므로 해당 제재를 적극적으로 권하기보다 기초적인 생활과 관련된 변화를 우선적으로 권해드립니다.

(9)가르시니아 캄보지아(Garcinia Cambogia, Hydroxycitric acid)

가르시니아 캄보지아는 탄수화물이 지방으로 합성되는 것을 억제하여 지방 합성을 줄이는 것으로 알려져 있으나, 체중 감소 효과에 대한 연구 결과는 미지수이기에 적극적으로 권하지 않습니다.

(10)키토산

키토산은 갑각류의 껍질에 있는 chitin에서 acetyl기를 제거한 것으로, 양전하를 지닌 아미노기를 가지고 있어서 음전하를 띤 지질 및 담즙과 결합합니다. 따라서 장관에서 지방산과 결합하여 흡수를 막는 작용을 한다고 알려져 있지만, 현재의 연구에 따르면 인체 내에서 유의하게 지방산과 결합하지 않는 것으로 생각되며, 통상 복용량에서는 체중 감량의 효과가 없었습니다. 또한, 새우, 게 등의 갑각류 알러지가 있는 사람은 특히 주의해야 합니다.

4) 비만 대사증후군 환자의 약물 병합요법

병합요법에 대하여

(1) 현재로서 비만약의 병합요법이 단일요법보다 더 효과적이라는 명확한 근거는 없으며, 비만 진료 지침에서도 일반적으로 병합요법을 권고하고 있지 않습니다. 또한 전반적으로 병합요법은 비만약의 표준적인 처방 방법으로 권장되지 않고 있습니다.

(2) 병합요법의 효과를 입증한 소수의 연구가 있지만, 이에 대한 충분한 근거는 아직 부족합니다. 그러한 연유로 현재 승인되어 사용할 수 있는 병합 약물 중 몇 가지로는 콘트라브®(naltrexone, bupropion 조합) 및 큐시미아®(phentermine, topiramate 조합)이 있습니다.

이러한 약물은 의료 전문가의 지도 아래에서 사용되어야 하며, 각 환자에게 맞게 적절한 처방이 이루어져야 하며 환자도 꼼꼼한 진료 후에 본인에게 처방이 이뤄져야 합니다. 해당 타 병용요법 중 간단한 2가지 조합의 연구 결과를 서술하여 안내드립니다.

A.리라글루티드, 펜터민 조합

연구 대상인 이미 체중 감량을 이룬 45명의 비만 환자에게 1년 간 리라글루티드 3.0 mg 단일요법으로 이미 12.6%의 체중 감량 이 있었던 사람들을 대상으로 12주 동안의 추가 치료를 실시했습 니다. 이 중 23명은 리라글루티드 3.0 mg 단일요법을 받았고, 22 명은 리라글루티드 3.0 mg과 펜터민 15 mg을 병합하여 치료받았 습니다.

그 결과, 리라글루티드와 펜터민 병합은 1.6%의 추가 체중 감량 을 보였으며, 리라글루티드 단일요법에서는 0.1%의 추가 체중 감 량이 있었습니다.

또한, 기존의 체중 감량 이후 추가적인 체중 감량이 5% 이상이 있었던 경우 리라글루티드와 펜터민 병합은 2명(9.1%), 리라글루 티드 단일요법은 1명(4.3%)이었고, 기존 체중 감량을 그대로 유 지한 경우 리라글루티드와 펜터민 병합은 19명(86.4%), 리라글루 티드 단일요법은 16명(69.9%)이었습니다.

B.SGLT-2 억제제, 펜터민 조합

SGLT-2 억제제와 펜터민의 병합 치료에 대한 연구에서, 334명의 18~65세의 비만이면서 당뇨병이 없는 환자나 과체중이면서 고혈압이나 이상지혈증을 동반한 사람들을 대상으로 위약군(82명), 카나글리플로진 300 mg(84명), 펜터민 15 mg(85명), 카나글리플로진 300 mg과 펜터민 15 mg 병합(83명)의 4군으로 나누어 26주간 진행 후 체중 감량의 차이를 비교하였습니다.

채중 감량 결과는 다음과 같으며, 위약군 0.6%, 카나글리플로진 단일요법 1.9%, 펜터민 단일요법 4.1%, 카나글리플로진과 펜터민 병합요법 7.5% 의 변화를 보였습니다. 체중 감량 효과에 있어서 펜터민 단일요법과 카나글리플로진은 모두 위약에 비해 체중 감량이 있었으나 통계적으로 유의한 차이는 나타나지 않았습니다. 그러나 카나글리플로진과 펜터민 병합요법이 두 약제의 단일요법보다 체중 감량 효과가 더 크며, 통계적으로 유의하였습니다.

혈압은 두 약제의 병합이 의미 있는 감소를 가져왔으며, 펜터민이 들어간 단일요법과 병합요법에서는 모두 심박수의 상승이 있었지만 부작용으로 보고한 경우는 병합요법에서만 3.6% 수준으로 미미하였습니다. 단 카나글리플로진 단일요법(10.3%)과 병합요법(7.2%)에서 여성 생식기 감염의 비율이 높게 나타났습니다.

맺음말

어느날 갑자기 건강검진에서 당뇨 전단계, 고혈압, 이상지질혈증의 소견을 받게 된다면 누구나 놀라게 됩니다. 실제 특히 젊은 만성 질환과 복부비만 환자는 최근의 통계상 지속적인 증가추세를 보고 있습니다.

관련 최신 통계들을 보면 비만인 중 대사증후군등 여러 만성질환 자들은 해당 문제가 소수의 개인에게만 일어난 것이 아니라는 것을 쉽게 알수 있습니다. 실제 대사증후군은 국내의 최근 12년간 유병률이 2007년 21.6%에서 2018년 22.9%로 증가세를 보였고, 특히 남성에선 젊은 30대와 40대에서 그 유병율의 증가가 두드러졌습니다. 해당 수치는 30대는 2007년 19%→2018년 24.7%, 40대는 25.2%→36.9% 로 늘었습니다.

최근 실제 외래 진료현장 및 검진등을 통해 이러한 젊은 환자분들에게서도 당뇨 전단계 및 이상지질혈증, 고혈압을 포함하는 대사증후군이 진단되는 경우가 많으며, 결과에 실제 많이들 당황해 하곤 합니다. 늘 얼마전까진 건강에 아무런 걱정이 없던 대학생이었고 분명히 20대의 젊고 건강한 나였는데, 갑자기 당뇨 전단계에 들어서거나 대사증후군에 해당된다며 검진 결과에 알람이 뜨는 경우가 시작된 것입니다.

별 문제가 아니겠다 생각하는 경우가 많지만, 이런 경우는 변화를 주지 않으면 유병기간이 계속됨에 따라 개선이 될 확률이 적을 뿐더러 차후 관련 여러 합병증등으로 많은 문제를 겪을 수밖에 없다는 것을 알아야 합니다. 특히 당뇨의 경우만 하더라도 대표적인 합병증으로는 관상동맥 질환, 뇌졸중, 뇌경색 등 개인에게 치명적인 혈관 질환들이 생길수 있고 이들이 관리가 되지 않을시 환자가 부담해야하는 위험 또한 큽니다.

실제 비만과 함께 고통받고 있는 이러한 대사증후군 환자들의 경우 실제 심혈관계 질환 및 뇌혈관계 질환의 발생위험도가 3배 정도 높으며 이로 인한 사망률도 약 2배 높습니다. 최근 비만인 중 당뇨 또는 대사증후군, 여러 만성질환자들의 적극적인 체중감량이 권고되고 있는 이유도 이들의 건강수명의 연장을 위함입니다.

즉 비만인 중 당뇨 또는 대사증후군, 여러 만성질환자에게 수명의 건강한 연장을 위해 우리가 가장 먼저 할수 있는 것은 책 전체에서 강조했다시피 체중의 감량이 첫번째 목표가 됩니다. 해당 환자군 중 특히 40세 미만의 젊고 체질량지수가 25를 초과하는 젊은 비만환자들의 경우 비만도를 적극적으로 관리할시에 당뇨 전단계 및 대사증후군등에서 충분히 벗어날수도 있고, 장기적으로 관련 합병증의 발생을 줄일 수 있기에 환자 개인은 큰 도움을 받을수 있습니다.

금번 저서는 비만인 중 당뇨 또는 대사증후군, 여러 만성질환에 속하는 각 개인들이 비만의 적극적인 치료를 통해 해당 진행을 늦추고, 정상으로 복귀시키거나 예방까지 시도하는 과정에 대해 대략적으로 스스로 이해하고 환자 본인의 삶의 방향을 바꾸는데 도움이 되었으면 하는 바람으로 처음 작성되었습니다.

또한 비만 대사증후군의 체중 감량치료에 있어 전문 의료진과의 진료 처방이외에도 중요한 것은 환자 생활의 전반적인 변화이기에 환자 개인의 필요한 노력 과정들에 대해서도 상세히 서술하였습니다.

비만치료의 전과정은 환자 본인과 의사가 함께 동반자로 나아가게 됩니다. 그러한 치료 속에서 환자 본인 스스로도 해당 분야에 대한 지식을 채워야 하고, 이에 바탕을 둔 철저한 관리도 반드시

필요합니다. 해당 치료분야에 대한 지식과 본인의 규칙을 가지고 지치지 않고 조금씩 해당분야의 전문의료진과 동반해 나아간다면 원하던 변화의 반이상을 달성해 나가고, 소중한 이들과 오랜 기간 함께하는 건강수명을 연장할수 있을 것입니다.

해당 책을 접한 젊은 환자분들은 이러한 문제들에서 반드시 벗어날 수 있기를 바라는 마음으로 금번 책은 작성되었습니다. 본인에게 가장 알맞은 생활 조절방식을 천천히 본인의 것으로 만들고 도움이 필요한 의학적 치료 부분을 전문 의료진의 진료를 통해 얻게 된다면 가장 이상적입니다.

치료의 합리적인 목표를 의료진과 함께 범위를 세운뒤 6개월-1년 가량을 본인의 의료진과 함께 공을 들여 천천히 그리고 충분하게 노력하여 목표 범위에 도달한후 이를 장기간 유지를 한다면, 해당 문제를 줄이고 각자의 소중한 건강수명을 더욱 늘릴수 있을 것입니다. 감사합니다.

참고문헌

1. Son JW, Kim S. Comprehensive Review of Current and Upcoming Anti-Obesity Drugs. Diabetes Metab J. 2020 Dec;44(6):802-818

2. Overgaard RV, Petri KC, Jacobsen LV, Jensen CB. Liraglutide 3.0 mg for Weight Management: A Population Pharmacokinetic Analysis. Clin Pharmacokinet. 2016 Nov;55(11):1413-1422

3. Carlsson Petri KC, Hale PM, Hesse D, Rathor N, Mastrandrea LD. Liraglutide pharmacokinetics and exposure-response in adolescents with obesity. Pediatr Obes. 2021 Oct;16(10):e12799.

4. Al-Kuraishy HM, Al-Gareeb AI. Effect of orlistat alone or in combination with Garcinia cambogia on visceral adiposity index in obese patients. J Intercult Ethnopharmacol   2016 ; 5 : 408-414.

5. Candida J. Rebello, Elena V et al. Effect of Lorcaserin Alone and in Combination with Phentermine on Food Cravings After 12 -Week Treatment :   A Randomized Substudy. Obesity 2018 ; 26 : 332-339.

6. Jain SS, Ramanand SJ, Ramanand JB, Akat PB, Patwardhan MH, Joshi SR. Evaluation of efficacy and safety of orlistat in obese patients. Indian J Endocrinol Metab. 2011 Apr;15(2):99-

104. doi: 10.4103/2230-8210.81938. PMID: 21731866; PMCID: PMC3125014.

7. Derosa G, Maffioli P, Ferrari I, et al. Orlistat and L-carnitine compared to orlistat alone on insulin resistance in obese diabetic patients. Endocr J 2010 ; 57 : 777-786.

8. Hollander Ĺ Bays HE, Rosenstock J, Frustaci ME, Fung A, Vercruysse F, Erondu N. Coadministration of Canagliflozin and Phentermine for Weight Management in Over   weight and Obese Individuals Without Diabetes : A Randomized Clinical Trial. Diabetes Care 2017 ; 40 : 632-639.

9. Tronieri JS, Wadden TA, Walsh OA, et al. Effects of liraglutide plus phentermine in adults with obesity following lyear of treatment by liraglutide alone : A randomized placebo-controlled pilot trial. Metabolism 2019 ; 96 : 83-91.

10. Tak YJ, Lee SY. Long-Term Efficacy and Safety of Anti-Obesity Treatment: Where Do We Stand? Curr Obes Rep. 2021 Mar;10(1):14-30.

11. Khera R, Murad MH, Chandar AK, Dulai PS, Wang Z, Prokop LJ, Loomba R, Camilleri M, Singh S. Association of Pharmacological Treatments for Obesity With Weight Loss and Adverse Events: A Systematic Review and Meta-analysis. JAMA. 2016 Jun 14;315(22):2424-3

12. Jain SS, Ramanand SJ, Ramanand JB, Akat PB, Patwardhan MH, Joshi SR. Evaluation of efficacy and safety of orlistat in obese patients. Indian J Endocrinol Metab. 2011 Apr;15(2):99-104. doi: 10.4103/2230-8210.81938. PMID: 21731866; PMCID: PMC3125014.

13. Grudén S, Forslund A, Alderborn G, Söderhäll A, Hellström PM, Holmbäck U. Safety of a Novel Weight Loss Combination Product Containing Orlistat and Acarbose. Clin Pharmacol Drug Dev. 2021 Oct;10(10):1242-1247. doi: 10.1002/cpdd.920. Epub 2021 Feb 13. PMID: 33580745; PMCID: PMC8518499.

14. Wilding JP, Overgaard RV, Jacobsen LV, Jensen CB, le Roux CW. Exposure-response analyses of liraglutide 3.0 mg for weight management. Diabetes Obes Metab. 2016 May;18(5):491-9. doi: 10.1111/dom.12639. Epub 2016 Mar 1. PMID: 26833744; PMCID: PMC5069568.

15. Wilding JP, Overgaard RV, Jacobsen LV, Jensen CB, le Roux CW. Exposure-response analyses of liraglutide 3.0 mg for weight management. Diabetes Obes Metab. 2016 May;18(5):491-9. doi: 10.1111/dom.12639. Epub 2016 Mar 1. PMID: 26833744;

PMCID: PMC5069568.

16. Filippatos TD, Derdemezis CS, Gazi IF, Nakou ES, Mikhailidis DP, Elisaf MS. Orlistat-associated adverse effects and drug interactions: a critical review. Drug Saf. 2008;31(1):53-65. doi: 10.2165/00002018-200831010-00005. PMID: 18095746.

17. Garvey WT, Mechanick JI, Brett EM, et al. American Association of Clinical Endocrinologists and American College of Endocrinology comprehensive clinical practice guidelines for medical care of patients with obesity. Endocr Pract 2016 ; 22(Suppl 3).

18. Márquez-Cruz M, Kammar-García A, Huerta-Cruz JC, Carrasco-Portugal MDC, Barranco-Garduño LM, Rodríguez-Silverio J, Rocha González HI, Reyes-García JG. Three- and six-month efficacy and safety of phentermine in a Mexican obese population. Int J Clin Pharmacol Ther. 2021 Aug;59(8):539-548. doi: 10.5414/CP203943. PMID: 34236303; PMCID: PMC8295716.

19. Gustafson A, King C, Rey JA. A Selective Serotonin 5-HT2C Agonist In the Treatment of Obesity., P T 2013 ; 38 : 525-530

20. Ahmad NN, Robinson S, Kennedy-Martin T, Poon JL, Kan H. Clinical outcomes associated with anti-obesity medications in real-world practice: A systematic literature review. Obes Rev. 2021 Nov;22(11):e13326. doi: 10.1111/obr.13326. Epub 2021 Aug 22. PMID: 34423889; PMCID: PMC9285776.

21. Lonneman DJ Jr, Rey JA, McKee BD. Phentermine/Topiramate Extended-Release Cap sules (Qsymia) for Weight Loss. P T. 2013 ; 38 : 446, 449 -452.

22. Manitpisitkul Curtin CR, Shalayda K, Wang SS, Ford L, Heald D. Pharmacokinetic interactions between topiramate and pioglitazone and metformin. Epilepsy Res 2014 ; 108:1519-1532. doi : 10.1016/j. eplepsyres. 2014.08.013.